JN040712

クリエイターのための

ChatGPT活用大全

創作の幅が一気に広がる!

監修
Cynthialy株式会社
國本知里

The Complete Guide to
Using ChatGPT for
Creators

Gakken

[ご注意]

本書をご購入・ご利用いただく前に必ずお読みください。

- 本書の内容は、2023年9月時点での最新情報をもとにしています。これらの情報は更新される場合があり、本書の説明とは機能内容や画面、プラグインなどの各種サービスについて、情報が異なってしまう場合があります。本書発行後にソフトウェアやサービスが変更・更新された場合、その内容についてのご質問にはお答えしかねますので、あらかじめご了承ください。

- ChatGPTは毎回異なる回答を行います。本書に掲載した回答はその一例に過ぎません。なお、本書ではGPT-3.5およびGPT-4による回答を掲載しています。

- 本書は情報提供を目的としています。これらの情報による運用の結果について、監修者および弊社では一切の責任を負いかねますため、ご自身の責任でご判断ください。

- 書籍に掲載している内容以外のご質問、ハードウェア、ソフトウェア、サービス自体の不具合に関するご質問にはお答えできませんのでご了承ください。

- 本書に掲載した会社名、製品名、サービス名などは、一般に各開発メーカーおよびサービス提供元の登録商標または商標です。

- 本文中では、TM、® マークなどの表記は省略しています。

はじめに

「クリエイターのためのChatGPT活用大全」へようこそ。

5日で100万ユーザー、2カ月で1億ユーザーを超え、誰もが知ることになったChatGPTは、人と会話をするように話しかけることでAIが文章を生成してくれる魔法のツールです。ChatGPTを使いこなせると、さまざまな文章生成に限らず、データ分析・コード作成・画像生成など、私も今までスキルを身につけることが難しかった仕事を簡単にこなすことができるようになりました。起業1年目の私は、ChatGPTを使いこなすことによって、多数の社員を採用しなくても、さまざまな作業をAIに託し、自分はよりクリエイティブな仕事に時間を費やすことができるようになりました。まさにChatGPTが起業のパートナーだったのです。その経験をもとに、今ではChatGPT・生成AIの活用育成を行う事業を展開しています。

このChatGPTの真価を発揮するためには、その「使いこなし方」を知ることが重要です。ただ指示を出せばよいというものではありません。チームメンバーと同じように、AIともどのようにコミュニケーションを取り、どのようにタスクを託すのかが大切です。アメリカではChatGPTのプロンプトを操るプロンプトエンジニア職に5000万円の年収が提示された企業もあります。いま、最も日本でChatGPTの活用・推進を妨げているのは「どのように使ったらよいのか分からない」というユースケースを知らないことです。

本書では、ChatGPTのクリエイティブな仕事の現場での具体的な活用例をわかりやすく、多数解説しています。読み終わった時には「こんなことにもAIが使えるんだ！」とAIの魅力に気づき、ChatGPTマスターになっていることでしょう。

さぁ、ChatGPTで毎日の仕事を一気に変えていきましょう。

Cynthialy株式会社
監修　國本知里

How to Use

本書の使い方

1 シーン

活用術を使える場面を記載しています。

2 ハッシュタグ

「こんなとき」「こんなこと」に便利だということを記載しています。

3 ポイント

ChatGPTへの指示文（プロンプト）のポイントを記載しています。番号は、4のプロンプトとリンクしています。

4 プロンプト

プロンプトの記入例です。これを参考に、自由にプロンプトを作成してみてください。

5 回答

プロンプトに対するChatGPTの回答例です。

6 解説

プロンプトや回答のポイント解説を記載しています。

Scene// 記事・ブログ　#タイトル案　#アイデア出し

活用術 01 記事のタイトル案を考えてほしい

POINT

①対象読者を指定する。
②どんな内容の記事なのか具体的に指定する。
③個数を指定する。

USER
30代女性向け、
ファッション系のブログ記事の
タイトルを5個考えてほしい。

ChatGPT
1.「シンプルで華やか！30代の大人コーデ術」
2.「トレンドを取り入れつつ、自分らしいスタイルを」
3.「大人の女性に似合う上品カジュアルファッション」
4.「30代からの魅力アップ！スタイリッシュな大人のコーディネート」
5.「着回しマスター！ベーシックアイテムで叶える30代のコーディネート術」

これらのタイトルが、30代女性向けのファッションブログ記事に合うことを願っています。もし他のテーマや特定のスタイルに関するタイトルをご希望でしたら、お知らせください。

記事の内容は書けても、人目を引くようなタイトルをつけることはなかなか難しいものです。そこでChatGPTを使ってタイトル案を出してもらいましょう。

対象読者やブログ記事の内容を明確に指定することで、より的確なタイトル案を出してもらうことが可能になります。また、**個数を指定することでその分のタイトル案を出してもらうことが可能です。**

ChatGPT for Creators　30

本書は主にクリエイターが使えそうなChatGPTの活用術を、作業の場面ごとに掲載しています。はじめてChatGPTを使う人でもすぐに取り入れられるよう、難しいテクニックは使わず、できるだけシンプルな指示でできる方法を紹介しています。

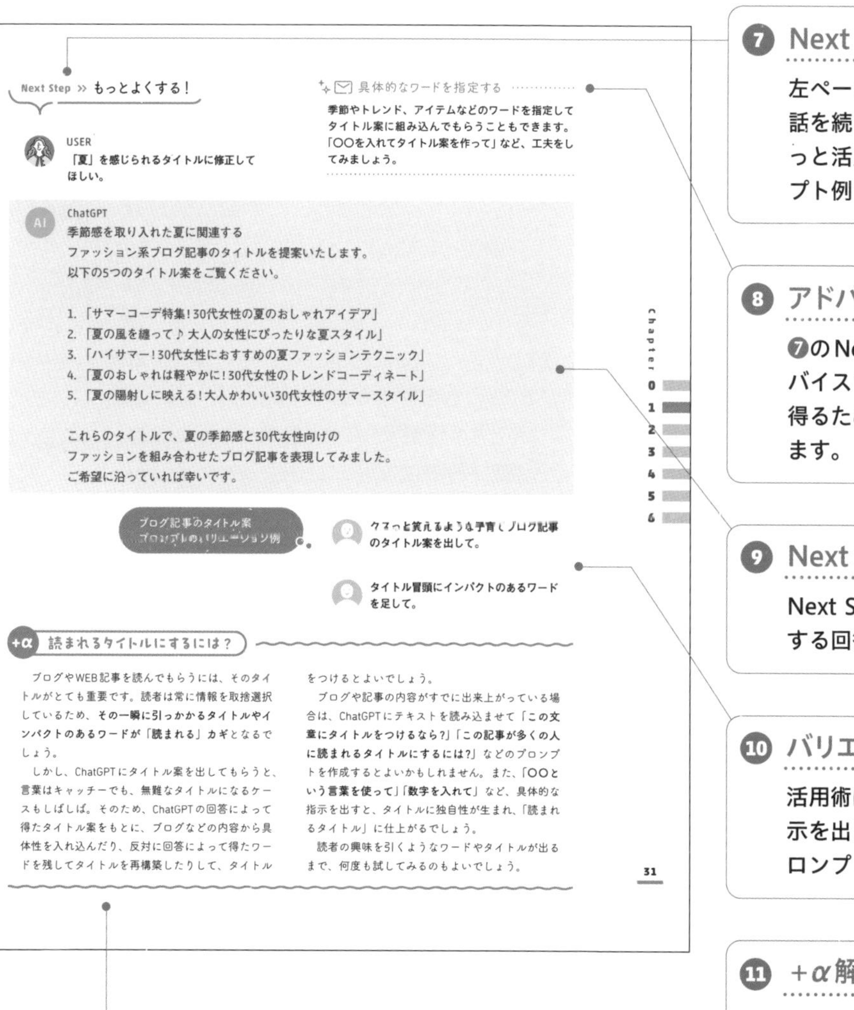

❼ Next Step

左ページの回答に、さらに対話を続けたいときの例や、もっと活用したいときのプロンプト例です。

❽ アドバイス

❼のNext Stepに対するアドバイスです。よりよい回答を得るためのコツを記載しています。

❾ Next Stepの回答

Next Stepのプロンプトに対する回答例です。

❿ バリエーション例

活用術に関連して、「こんな指示を出してもOK!」というプロンプトの例です。

⓫ +α解説

活用術をさらに深めるための情報を記載しています。

Contents

Chapter 0 ChatGPTのキホン

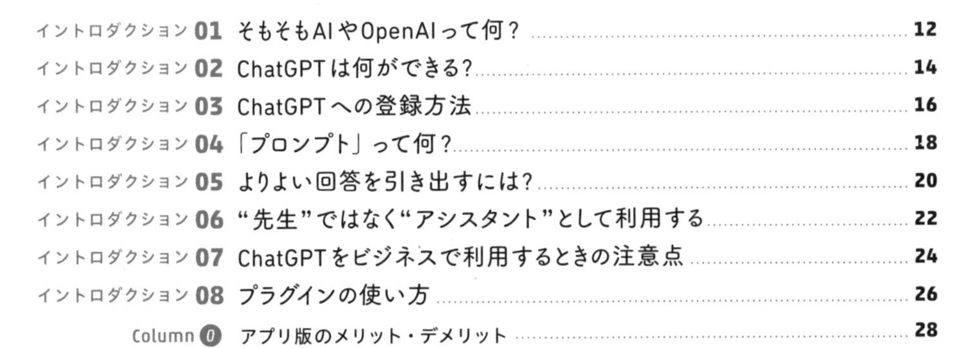

Chapter 1 WEB記事・ブログ・SNSのための活用術

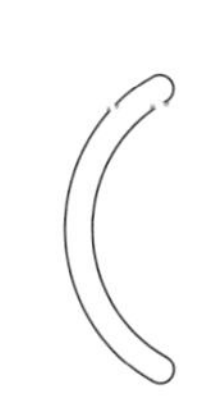

Chapter 2 デザイン・イラストのための活用術

Chapter 3
物語創作・シナリオのための活用術

Chapter 4 さまざまな創作ジャンルのための活用術

Chapter 5

クリエイターの事務作業のための活用術

Chapter 6

その他の意外な活用術

巻末付録

Chapter

0
ChatGPTのキホン

イントロダクション

01 そもそもAIやOpenAIって何？

1 AIとは人間の知能を再現する技術

AIは「Artificial Intelligence」の略で、日本語では「人工知能」と呼ばれています。**プログラムを用いて人工的に人間の思考プロセスや情報処理を再現する技術**のことで、1950年代から研究開発が行われてきました。具体的には、AIに対して指示を出すと、学習したデータをもとに問題解決の提案や意思決定を行うというものです。今では医療や製造、教育、金融、エンタメ業界など多くの分野でAI技術が活用されています。その結果、作業の効率化や人手不足の解消、コスト削減、ヒューマンエラーの防止など、さまざまなことに寄与しています。

例えば、医療業界ではAIによってレントゲンやMRI画像を分析。疾患の発見や診断に役立てられています。言語処理能力にも優れていることから、カルテの解析を行うなど、幅広く活用されています。

また、ビジネスシーンのみならず、エンタメ業界などのクリエイティブな領域でも活躍の幅を広げています。

ゲーム分野では、2016年にGoogleの「**AlphaGo**」が囲碁のトップ棋士に勝利。また、2019年にはMicrosoftの麻雀AI「**Microsoft Suphx**」が麻雀オンライン対戦サイト「天鳳」で、AIとしてはじめて十段に到達するといったニュースも話題になりました。

音楽分野では、音楽のジャンルやキーなどを指定すると、自動的に作曲を行う技術が登場。誰でも音楽を作れる時代になりました。

2 AIが活用されている業界

AIが使われている業界の例

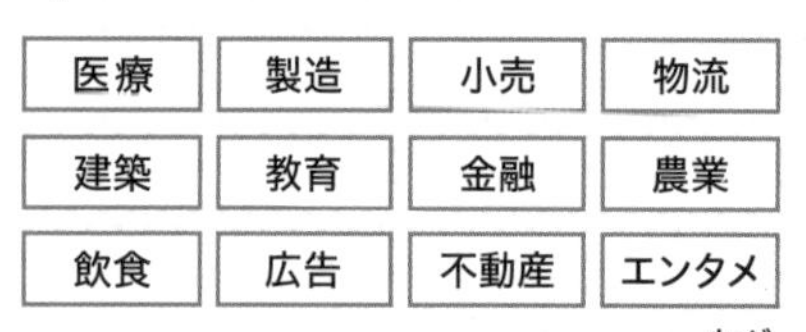

……など

AIを使うと……

- 作業の効率化
- 人手不足の解消
- コスト削減
- ミスの予防
- 確度の高い分析や予測ができる

など

多くのメリットがある！

3 AI開発機関の「OpenAI」

「OpenAI」はアメリカのサンフランシスコに拠点を置く、AIに特化した非営利研究機関、およびAI開発企業のことです。

2015年に起業家のイーロン・マスクやサム・アルトマンによって非営利団体として創設されました。2019年に方向性の違いからマスクはOpenAIを離れ、アルトマンが代表となり、「上限付き利益」の会社「OpenAI LP」を設立することで営利団体への転向を表明。「汎用人工知能が人類全体に利益をもたらすことを確実にさせること」を目標とし、日々研究や開発を行っています。

4 自然なやりとりができる「ChatGPT」

そんなOpenAIが2022年にリリースしたのがAIチャットサービスの「ChatGPT」です。GPTは「Generative Pre-trained Transformer」の略で、Generativeは「生成する」、Pre-trainedは「事前学習済みの」、Transformerは「変化させるもの」を意味する深層学習モデルを指します。その**最大の強みは、人間のような自然な言語で会話形式によってやりとりができること**。テキストを読み込んで要約したり、物語を創作したり、多言語に翻訳できたりと、言語処理能力がとても高いAIツールなのです。

2022年11月に「GPT-3.5」を活用したChatGPTをリリースするとすぐさま大きな注目を集め、わずか2カ月間でユーザー数は1億人を突破しました。その後、2023年3月には上位モデルである「GPT-4」をリリースするなど、ChatGPTは進化を続けています。

また、その過程でOpenAIはChatGPTの「API」を公開しています。APIとはシステム同士を連携させる仕組みのことで、外部の企業がこれを利用することにより、ChatGPTの機能を備えたアプリを開発しやすくなります。つまり、**自然な言語による高度な対話機能を備えたアプリがより身近なものになっていくことが期待できる**のです。実際に、スマホアプリのLINEで気軽にChatGPTを利用できる「AIチャットくん」というサービスが誕生し、リリースから1カ月で利用者数が100万人を突破しました。

OpenAIが開発したAIチャットサービス「ChatGPT」のサイトトップページ（https://openai.com/blog/chatgpt）。会話のようにテキストのやりとりを行うことで、指示に従い、結果を出力してくれる。

02

ChatGPTは何ができる?

1 ChatGPTは何がすごいのか?

ChatGPTは高度な**自然言語処理**が特徴のチャットツールです。自動的に会話を行うチャットボットはChatGPTが登場する以前から活用されており、企業のカスタマーサポートにも導入されています。しかし、従来のチャットボットはあらかじめ設定されたルールに沿って、決まった回答を提示するだけでした。一方、ChatGPTは**ユーザーからのさまざまな指示や質問に対し、その文脈を読み取って柔軟な回答を返すことができます。**

それを可能にしたのが**大規模言語モデル**と呼ばれる仕組みです。大規模言語モデルは、インターネット上の膨大な量のテキストデータを学習し、ある単語やフレーズの入力に対して、そのあとにどのような言葉が来るかを確率的に予測できるようにしたものです。単純な例を挙げれば、「むかしむかし」のあとには「あるところに」という言葉が来る確率が高いといった具合です。ChatGPTは人間のように言葉を理解しているわけではありませんが、こうした確率処理によって、まるで人間のような対話を行うことができるのです。

また、**ChatGPTは改良が重ねられており、短期間に性能が大きく向上している**ことも見逃せません。最新モデルのGPT-4にアメリカの司法試験の模試を受けさせたところ、上位10%に入るほどの成績で合格レベルに達していたということも話題になりました。

2 ChatGPTのすごいところ

すごいところ

- 膨大なデータのインプットがなされている
- 指示に対して柔軟に判断し、対応できる
- 自然な言語でのやりとりができる(学習データの言語である英語の精度が高い)
- さまざまな言語に対応している
- 新しくデータを読み込ませ、それをもとに新たな情報を生成する　など

3 ChatGPTでできることは何か

ChatGPTは自然言語処理ができるツールですが、ユーザー側の使い方によってさまざまなことができます。質問への回答、アイデアの提案、記事や物語の作成、文章の要約や翻訳、プログラムのコード生成など、言語を介したやり取りはお手の物。もちろん、単純におしゃべりを楽しんだり、悩み相談をしたりすることもできます。

ChatGPTと対話をする際に便利な使い方のひとつは、そのスレッド内のやりとりを踏まえて対話を継続していくことです。例えば、「AIとは何かを説明してください」といった要求に対してChatGPTは即座に答えを返してくれますが、その答えが期待したものと違っていたり、難しくて理解できなかったりすることがあります。その場合、「もっとやさしく教えて」「後半部分を詳しく」といったリテイクの指示をすることが可能です。このように**対話を重ねることで、出力内容をユーザーの理想に近づけていくことができる**のです。

また、有料版の「**ChatGPT Plus**」ではできることの幅がさらに広がります。上位モデルであるGPT-4が選択可能になり、それによってChatGPT の回答の精度が向上します。さらには**プラグイン**というサービスを活用することで、ChatGPTの機能を拡張することができます（使い方はP.26～27参照）。

ただし、ChatGPTはAPIを公開しているため、ほかのツールでもChatGPTの機能を使うことができます。例えばMicrosoftの「**Bing AIチャット**」は、GPT-4をベースにつくられたツールで、1日合計300回までのやりとりが無料でできるのです。加えて、ChatGPT（GPT-3.5）は2021年9月までの情報しか搭載されていませんが、Bingはもともと検索エンジンです。そのため、ウェブで検索をかけて情報提供してもらうことも可能で、最新情報を手に入れることができます。

USER

AIとは何かを簡潔に説明してください。

AI

ChatGPT

AI（人工知能）とは、コンピュータやソフトウェアが人間の知的活動を模倣する技術や研究領域を指します。これには学習、推論、認識、言語の理解などが含まれます。

USER

もっとやさしく教えて。

AI

ChatGPT

もちろんです。AI（人工知能）とは、コンピュータが人のように考えたり学ぶ技術のことです。人ができる仕事や考えることを、コンピュータにさせるための道具のようなものです。

イントロダクション

03

ChatGPTへの登録方法

1 OpenAIのアカウントを作成する

ChatGPTを利用するには、はじめに**OpenAIのアカウントを作成する必要があります**。アカウントの作成の際には、有効なメールアドレスとSMSを受け取れる電話番号を使うことで登録することが可能になります。

そのほか、Google、Microsoft、Appleいずれかのアカウントと連携しての登録もできます。すでに3社どれかのアカウントを持っている場合、後者の登録方法が簡単です。また、スマートフォンのアプリを利用しての登録も同様の手順で行えます。

1 設定を開く

ChatGPTのサイトトップページ（https://openai.com/blog/chatgpt）にアクセスし、「Try ChatGPT」をクリック。すると、「Log in」と「Sign up」の2つが出てくるため、新規登録をする場合は「Sign up」を選ぶ。

2 メールアドレスの入力とパスワードの設定を行う

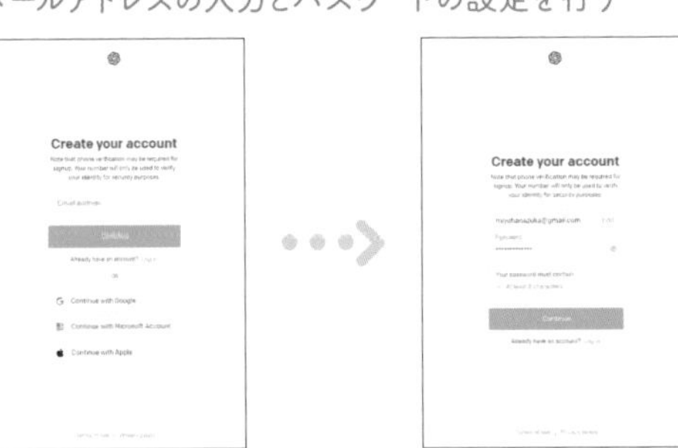

アカウント作成ページに進むと、まずメールアドレスの入力が求められる。入力して「Continue」をクリックすると、パスワードの設定画面に。8文字以上の任意のパスワードを設定する。Google、Microsoft、Appleいずれかのアカウントと連携する場合は、メールアドレスの入力画面で選択する。

3 メールアドレスの認証を行う

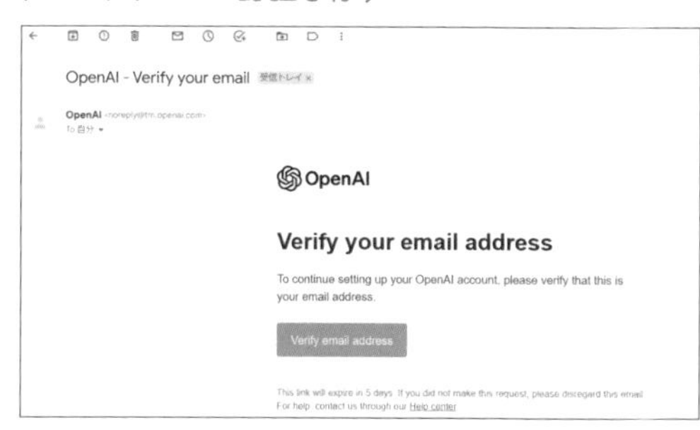

パスワードの設定が終わると、入力したメールアドレス宛にメールが届く。「Verify email address」をクリックする。

4 名前と電話番号を登録する

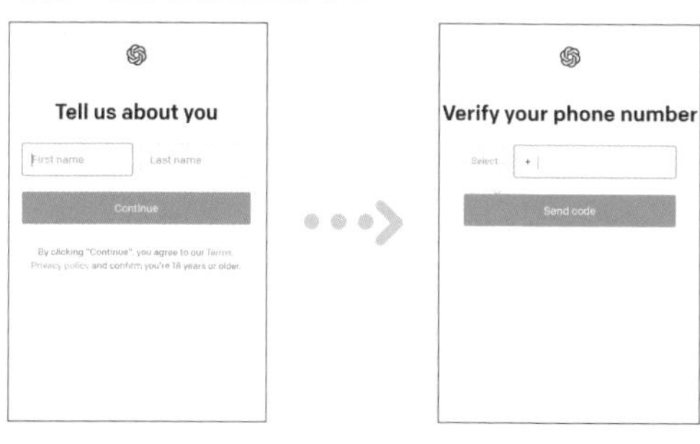

「Tell us about you」という画面が表示されたら、自分の名前を入力して登録。「Continue」をクリックしたら、電話番号を登録しよう。

5 電話番号による認証を行う

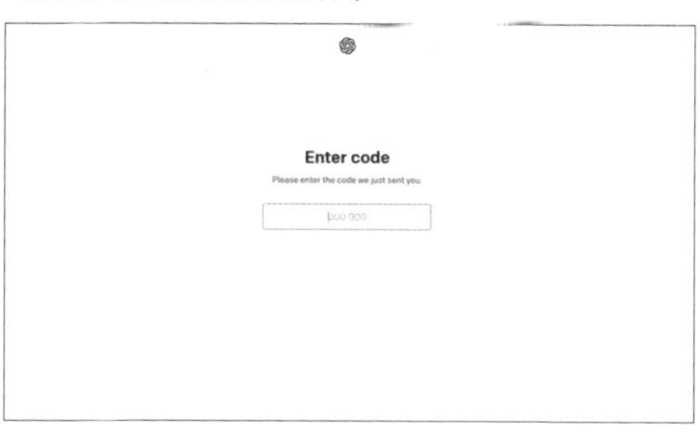

入力した電話番号宛にSMSが届く。記載されている6桁のコードを「Enter code」に入力。これでアカウントの登録は完了。

6 利用開始

アカウントを作成したら早速ChatGPTを利用してみよう。「Send a message」にテキストを入力して、チャットボックス右側の矢印をクリックすると、ChatGPTに指示を送れる。送って間もなく、ChatGPTからの回答が出力される。

イントロダクション

04

「プロンプト」って何？

1 プロンプトがよい結果を出すカギ

ChatGPTについて調べていると、「プロンプト」という言葉をよく目にすると思います。プロンプトは「(動作を) 促す」という意味です。**IT分野においては、システムの操作時に入力や処理を促す文字列などを指します。**

ChatGPTでは、テキストを自由に入力できる「Send a message」の欄がプロンプト、つまりChatGPTへの指示を入力する箇所です。任意の言語で自由に入力できるので、会話をするようにChatGPTに指示を出すことができます。

ただし、自分の求める出力や精度の高い結果を得るためには、うまく指示を出す必要があります。今回はプロンプトを作成するコツをいくつかまとめてみました。

❶指示を明確にする

抽象的な文章や指示では、期待通りの出力を得ることは難しいので、**指示を明確にしましょう。**

❷ChatGPTの立場を指定する

プロンプトで**「あなたは○○です」というように、ChatGPTの立場や役割を指定すると、精度が上がりやすくなります。**

❸条件を細かく指定する

「アイデアを箇条書きで10個上げて」「○文字以内でまとめて」など、**条件を指定して出力の範囲を狭めるやり方も効果的です。**

❹追加のプロンプトで調節する

同じチャット内であれば、会話内容を覚えて結果に反映してくれます。出力されたものに返答したり、指摘したりして追加の条件や修正点を加えてみましょう。

USER

**あなたはプロのWEBライターです。日本の公的年金制度について、1000字程度で説明する文章を作成してください。
国民年金と厚生年金の違いについても言及してください。**

プロンプトの例。条件を細かく設定すると理想に近い結果が出力されやすい。

2 英語で質問すると回答の精度が上がる

ChatGPTの回答は、質問した言語によって精度が変わります。プロンプトで言語の指定がなければ、プロンプトと同じ言語で回答を出力してくれますが、英語でのやりとりが最も精度が高いといわれているのです。

その理由は、ChatGPTの学習ソースの多くが英語であるため、英語で質問したほうが出力の精度が上がる確率が高くなるからです。日本語で満足いく結果や回答が得られない場合は、英語で質問してみましょう。

3 悪いプロンプトの例

ChatGPTがうまく結果を出せないプロンプトはあまりよいプロンプトとはいえません。人との会話においても抽象的な質問に答えるのが難しいように、抽象的な指示はAIにとっても難しいのです。

例えば「よい会社とは何ですか?」という質問は、とても単純で抽象的な質問です。「よい」にはさまざまな視点やニュアンスが含まれているため、範囲が広すぎて明確に答えられません。この場合は「よい会社について、財務状況の観点から教えてほしい」と指示すると、よい経営をしているといえる会社の条件などを提示してくれるでしょう。

ほかにも、**ChatGPT（GPT-3.5）は2021年9月以降の情報を学習していない**ため(2023年9月現在)、「最新のニュースについて教えてください」と指示しても、出力できません。時事や天気など「現在」の情報を聞いてもむだになってしまいます。ただし、**データがあれば、データを読み込ませることで分析は可能**です。ユーザーがChatGPTに学習させることで、そこから読み取れる情報を教えてくれます。

ChatGPTの特性を理解して、具体的な質問や作業の指示を出すようにしましょう。

AI ChatGPT

申し訳ありませんが、私のデータは2021年9月までの情報しか含んでおらず、
現在の天気情報を提供することはできません。
天気情報は日々変化するため、正確な情報を得るためには、
天気予報サイトやアプリを利用することをお勧めします。
また、ご質問の地域や場所によって異なるため、具体的な場所を指定いただければ、
その地域の天気情報を調べる手助けをすることは可能です。
どうぞお手伝いできることがあれば教えてください。

最新の天気について聞いたときのChatGPTの回答。情報は得られないが、
情報収集の仕方についてのアドバイスはもらえる。

よりよい回答を引き出すには？

1 ChatGPTは会話を記憶する

ChatGPTはひとつのチャット上の会話を記憶し、情報を蓄積します。そのため、出力結果に対して指摘や修正の指示を出すと、ひとつ前の出力結果に追加で指示した内容を反映させて新たな結果を作成することが可能です。

この特徴を利用して、**いくつかの質問や指示を重ねることで、自分の求めている結果に少しずつ近づけていくことができます。**最初の出力で期待通りの回答が得られなくとも、何度か**リテイク**（修正）を繰り返せば精度が上がっていきます。

さらに、ChatGPTを**ブレスト**（アイデア出し）の相手にして会話を重ねると、何かヒントを得られるかもしれません。「こういうアイデアがあるが、足りない点は?」などと聞くことで、**別の視点からのアイデアをくれることも。**アイデアのフィードバックをもらったり、言語化できない微妙なニュアンスを伝えて言語化してもらったりすると、課題解決への新たな切り口やアイデアを深める手助けになるでしょう。

しかし、会話を続けすぎると以前の会話を忘れてしまうことがあり、それにより、指定した条件や設定がなくなってしまうこともあります。「ChatGPTが指定した条件を外している」と感じたら、以前入力した条件や参照したい出力結果をプロンプトに含めて、もう一度指示し直すとよいでしょう。

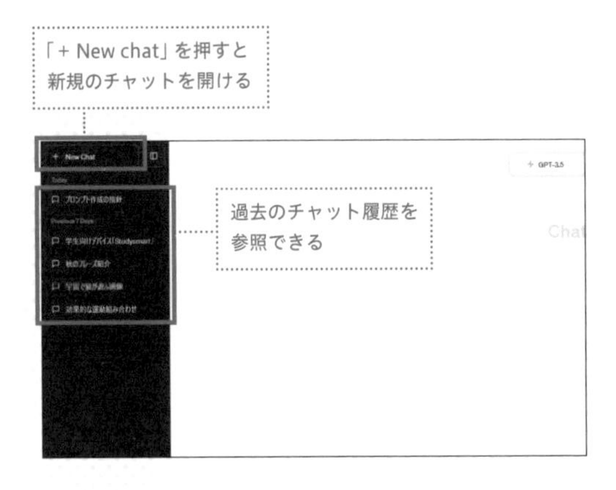
「＋New chat」を押すと
新規のチャットを開ける
過去のチャット履歴を
参照できる

ChatGPTのチャット画面。パソコンだと画面の左側にチャットの履歴が残る。過去のチャットを選択して会話を続けることも可能。

2 段階を分けてタスクを与える

ChatGPTにタスクを与える場合は、**段階ごとに分けるとよい**でしょう。

例えば「次の文章を要約し、翻訳して」と指示を出す場合、要約と翻訳のタスクを同時に与えると精度が下がってしまいます。要約→翻訳というように、**段階を踏みながらタスクを与えることで、出力の結果がよいものになる可能性が高くなる**のです。タスクを与える際のプロンプトは、できるだけ簡潔にすることを意識して作成しましょう。

3 ChatGPT Plusは利用するべき?

有料版であるChatGPT Plusを利用すると、GPT-4やプラグインなどの利用が可能となり、機能が拡充したり、回答の精度が上がったりと、利便性が向上します。さらに、有料版では主に下記の機能を使うことができます。

- 画像認識が可能。プロンプトの入力欄から画像添付や画像貼り付けをして読み込ませることができる。画像内のテキストを読み取らせることもできる。
- ブラウジング機能の「Browse with Bing」が使えるようになり、ChatGPTがウェブ検索をしながら情報を提供してくれる。
- 高度なデータ分析機能である「Advanced Data Analysis」が使えるようになり、WordやExcelなどのファイルをアップロードして読み込ませることができる。Pythonのコードの実行やグラフの描画なども可能。
- 「DALL・E(ダリ)3」が使えるようになり、ChatGPT内で画像生成ができる。

4 有料版の追加機能

❶チャット画面左下、メールアドレス(アカウント名)の隣の「…」をクリックする。
❷「Settings & Beta」をクリックし、設定を開く。

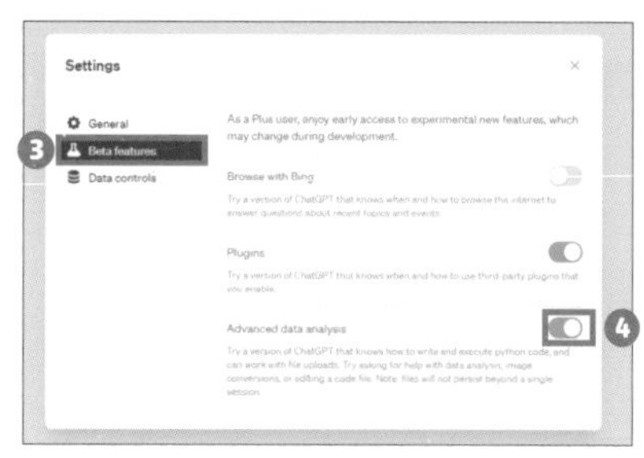

❸設定画面の左側から「Beta features」を選択し、クリックする。
❹「Advanced data analysis」など使いたい機能をオンにする。あとはプラグイン(P.26)と同様にチャット画面で選択する。

イントロダクション

06 “先生”ではなく“アシスタント”として利用する

1 ChatGPTを最大限に活かす使い方

ChatGPTを使っていると、その有能さと便利さからさまざまなことを尋ねてみたくなるものです。「〇〇について教えて」といった知識を問うような指示についても、難なくこなしてくれる場合が多いでしょう。しかし、**何でも知っている・答えてくれる“先生”として頼るのは、あまりよくない使い方**です。

例えば、「〇〇をテーマに、キャッチコピーを15個考えて」「ポスターのビジュアル案を出して」などと指示するとアイデアを生成してくれますが、クオリティが十分でないことからそのまま活用することはできない場合が多いです。ChatGPTが生成したアイデアはAIが考えたもの。出力結果は参考程度とし、**自分だけのオリジナリティを加えたアイデアを考えることが求められます。**

このように、ChatGPTはあくまでも作業効率を上げるためのツールといえます。ただし、1人では思いつかないようなアイデアや雑多な業務を代わりに任せられるところがポイントです。この点をうまく利用し、**ChatGPTを“アシスタント”として活用すると、業務の幅や効率、品質が向上していく**でしょう。

また、人間のアシスタントと違う点は、何度もやり直しをさせることができる点です。ChatGPTに指示を出せば、いつでもすぐにアイデアを生成してくれたり、出力に修正を重ねて返してくれます。自分の納得がいくまで、プロンプトを追加して修正ができるのです。対人であれば何度もやり直すことに気が引けてしまいますが、それができるのはAIならでは。ChatGPTの特性を理解して、うまくつき合っていきましょう。

よい使い方

- 多くのアイデアを出してもらい、自分の検討・判断の材料にする
- データの分析・整理をしてもらう
- アイデアのブラッシュアップをする
- 納得のいくまで出力をやり直す

よくない使い方

- 生成された結果にアレンジを加えず、そのまま利用する
- ファクトチェックをせず、生成された情報を鵜呑みにする
- 最初に出力された結果だけを参考にする

2 ChatGPTが嘘をつく!?

AIツールを使ううえで、気をつけなければいけないのは「ハルシネーション」が起こることです。ハルシネーションは幻覚や幻影といった意味の言葉ですが、AIにとってのそれらは「事実とは異なる架空の内容を生成すること」を意味します。つまり、AIがデタラメを述べることがあるのです。

これは学習データに誤りがある場合や、そもそも学習データが存在しない場合、回答を生成する過程で関連性のない情報が組み合わさる場合など、いくつかの原因によって起こります。今のところ**ハルシネーションを避けることは不可能です。そのため、ChatGPTの出力結果は必ず人が介入してファクトチェック（事実検証）を行う必要があります。**

こうしたことから、確実なデータが欲しいときの調べものにChatGPTを利用するのはあまりおすすめできません。

ただし、P.21で紹介したブラウジング機能を利用すれば、インターネットで最新の情報を調べて出力してくれますし、回答のもととなったページのリンクも生成してくれます。しかし、そもそもインターネットの情報がすべて正しいとは限りません。やはり、AIツールを用いて情報を得る際には十分にファクトチェックを行い、正しい情報かどうかを精査しつつ活用しましょう。

USER
デザインを学べる日本の本を教えてほしい。

ChatGPT

デザインについて学ぶために、以下のいくつかの日本の本が参考になるかもしれません。

1. 『デザインの基本 デザイン思考のトレーニング』本田直行
   デザイン思考についての基本的な理念やアプローチを学びたい方におすすめの本です。

2. 『デザインの原則』ウィリアム・リッチ
   デザインに関する基本的な原則やデザインの要素について学ぶのに役立つ一冊です。
   原則に基づいたデザインの考え方を理解できます。

3. 『グラフィックデザインの基本』ロビン・ウィリアムズ
   グラフィックデザインに焦点を当てた本で、
   デザインの基本から具体的なテクニックまで幅広く紹介しています。

ChatGPTのハルシネーションの例。デザインを学べそうな本のタイトルが出力されたが、いずれも存在しない。

イントロダクション

07 ChatGPTをビジネスで利用するときの注意点

1 個人情報や機密情報の取り扱いは慎重に

基本的にChatGPTはユーザーが入力したデータを蓄積し、学習や改善に利用しています。そのため、プロンプトに個人情報や機密情報を入力してしまうと、ChatGPTのデータベースに情報が残ってしまうのです。学習に使用された場合、それらの情報が誤って流用されてしまう可能性もあります。

ただし、**会話の情報を残したくない場合は、設定から「Data controls」を選択し、「Chat history & training」をオフにすると、学習や改善のためのデータ利用を防ぐことができます**。ChatGPTのデータベースに情報が残らなくなりますが、会話の履歴は閲覧可能のため、設定しておいて損はないでしょう。

また、OpenAIの「What is ChatGPT?」のページでは、「特定のプロンプトを削除できますか?」という質問に、「いいえ、履歴から特定のプロンプトを削除することはできません。会話のなかで機密情報を共有しないでください。」と回答があります。そのため、プロンプトで機密情報を入力することはおすすめできません。

すでに機密情報を入力してしまった場合、アカウントを削除すると会話データも削除することができますが、削除したアカウントと同じメールアドレス・電話番号で新しくアカウントを作成することは永久に不可能になります。個人情報や機密情報を取り扱う際は慎重に行うようにしましょう。

1 設定を開く

チャット画面の左下、メールアドレス(アカウント名)の隣にある「…」をクリックすると、「Settings」を選択できる。

2 「Chat history & training」をオフ

「Settings」をクリックすると、このような画面が表示される。左側の欄から「Data controls」を選択し、「Chat history & training」をオフにする。すると、会話の履歴がデータベースに残らない。

2 類似しているアイデアがないか確認する

ChatGPTで出力された結果は**商用利用**が可能です。利用規約の第3章の部分には**著作権**についての記述があります。

As between the parties and to the extent permitted by applicable law, you own all Input. Subject to your compliance with these Terms, OpenAI hereby assigns to you all its right, title and interest in and to Output.

翻訳：両当事者の間で適用される法律で認められる範囲において、お客様がすべてのインプット（プロンプトに入力する内容）を所有しています。お客様が本規約を遵守することを条件として、OpenAIは、アウトプット（出力結果）に関するすべての権利、所有権、および利益をお客様に譲渡します。

つまり、「プロンプトに入力された内容の著作権を使用者が所有している限り、出力結果の権利や、それに発生した利益を使用者に譲渡する」といった内容です。ただし、他人の著作物を学習させて得た出力の権利は使用者になく、商用利用もできません。

また、ChatGPTの学習データには著作物が含まれているケースもありますし、出力が著作権を持つほかの文章やアイデアとたまたま類似してしまう可能性もあります。知らずに利用してしまった場合、著作権侵害としてトラブルに発展してしまうことも。著作権についてきちんと理解し、出力されたアイデアを使用する場合には類似している例がないか確認する作業が必要です。

左のような利用規約についても改定される可能性がありますし、ChatGPTが生成した文章やアイデアを活用する場合には注意が必要となります。

イントロダクション
08
プラグインの使い方

1 プラグインを利用してみよう

ChatGPTの有料版であるChatGPT Plusに登録すると、**プラグイン**を利用することができます。プラグインとは「拡張機能」のことで、さまざまなサービスと連携し、文字通りChatGPTの機能を拡張することができます。2023年9月現在で、900個以上ものプラグインが利用可能です。

例として、**ChatGPT単体では画像生成機能はありませんが、画像生成ができるプラグインを使うと、プロンプトで指示することで画像を作成することができます。**プラグインを利用するには次の通りに設定しましょう。なお、利用時に別途アカウントの登録が必要なものもあります。

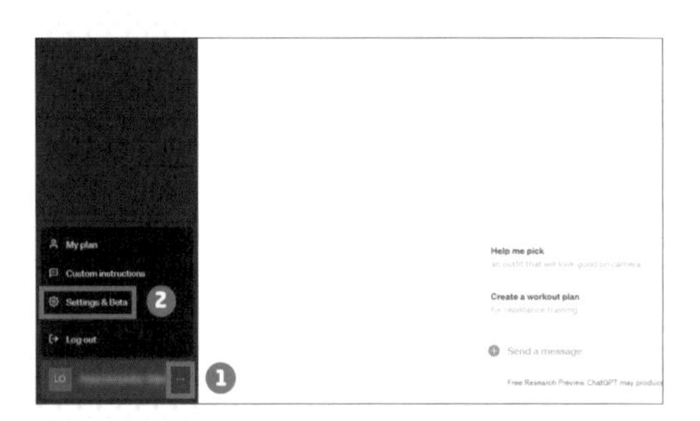

❶チャット画面左下、メールアドレス（アカウント名）の隣の「…」をクリックする。
❷「Settings & Beta」をクリックし、設定を開く。

❸設定画面の左側から「Beta features」を選択し、クリックする。
❹「Plugins」をオンにする。

❺チャット画面に戻り、「GPT-4」に切り替える。
❻「Plugins Beta」にチェックを入れる。

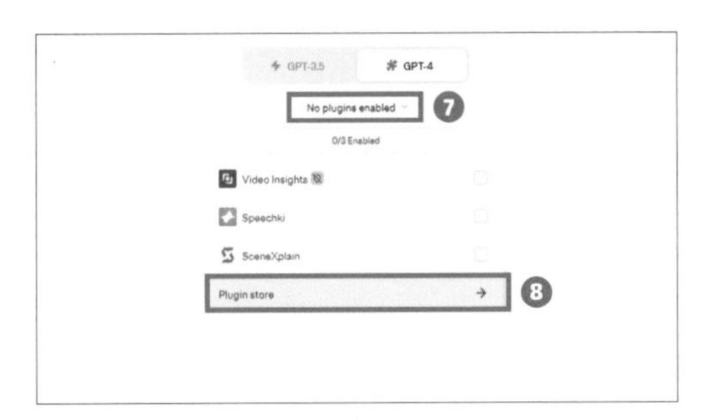

❼「No plugins enabled」をクリックする。
❽「Plugin store」をクリックする。

❾「Plugin store」が開く。ここで任意のプラグインを見つける。左上のメニューから検索可能。また、「人気」「新しい」「すべて」「インストール済み」といったカテゴリからも選択できる。
❿好きなプラグインを見つけたら、「Install」をクリックする。

⓫インストールしたプラグインの一覧から使いたいプラグインにチェックを入れる。同時に3つまでのプラグインが利用可能。
⓬表示されているプラグインを利用できる。

アプリ版のメリット・デメリット

アプリ版のメリット

ChatGPTはブラウザだけではなく、スマホアプリでもリリースされており、スマホを持っていれば誰でも気軽に利用できます。2023年9月現在、iOS版とAndroid版の両方で提供されています。

アプリ版のメリットは、出先でパソコンを開くことが難しい場面や通勤中、休み時間などの空き時間にサッとスマホでChatGPTを利用できる点です。このほかにも、すでにブラウザでChatGPTを利用している場合、アプリでもアカウントを共有することができます。そのため、チャットの履歴が残り、作業を途中から再開することも可能です。

さらに、スマホアプリでは、音声認識機能を使っての入力が可能になります。別の作業をしながら、家事をしながら、片手間で気軽に利用できる点がスマホアプリのメリットともいえるでしょう。

アプリ版のデメリット

ただし、どこでも利用できる反面、その場所の通信環境によっては生成の遅延が発生する可能性があります。Wi-Fi環境が整っている場所などを見つけて利用するとよいでしょう。

また、アプリがスマートフォンの容量を圧迫するデメリットもあります。音楽やゲームアプリと比較すると容量は小さいですが、チャットを重ねたり、ストレージ容量が小さかったりする場合は気をつけましょう。

アカウントの登録方法

アプリからの登録も、ウェブ版とさほど変わりません。

アカウント作成ボタンを押し、メールアドレスを入力してからパスワードを作成します。その後、設定したメールアドレスに届いた認証メールのURLを開き、名前と誕生日を入力し、SMS認証を行えば完了です。

また、GoogleやMicrosoftなどのアカウントを利用しての登録も可能なので、好きな登録方法を選択してみてください。

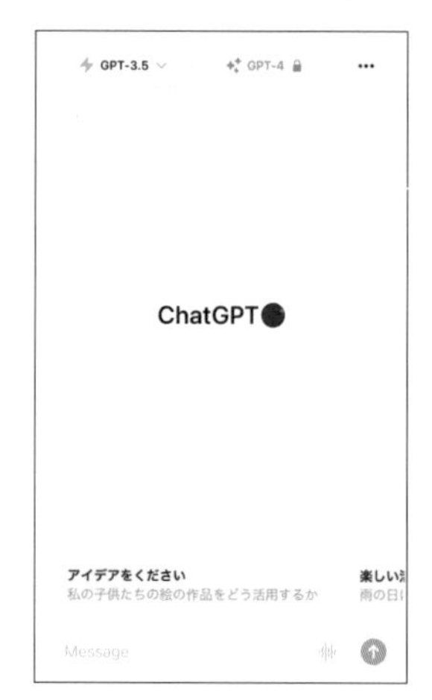

アプリ版ChatGPTのチャット画面。「Message」欄にプロンプトを入力し、右の「↑」ボタンで指示を送る。Message欄の右端にある音声ボタンを押せば、音声入力が可能。

Chapter

1

WEB記事・ブログ・SNSのための活用術

活用術

01 記事のタイトル案を考えてほしい

POINT

①対象読者を指定する。

②どんな内容の記事なのか具体的に指定する。

③個数を指定する。

USER

30代女性①向け、
ファッション系のブログ記事②の
タイトルを5個③考えてほしい。

ChatGPT

1. 「シンプルで華やか！30代の大人コーデ術」
2. 「トレンドを取り入れつつ、自分らしいスタイルを」
3. 「大人の女性に似合う上品カジュアルファッション」
4. 「30代からの魅力アップ！スタイリッシュな大人のコーディネート」
5. 「着回しマスター！ベーシックアイテムで叶える30代のコーディネート術」

これらのタイトルが、30代女性向けのファッションブログ記事に合うことを願っています。もし他のテーマや特定のスタイルに関するタイトルをご希望でしたら、お知らせください。

記事の内容は書けても、人目を引くような**タイトル**をつけることはなかなか難しいものです。そこでChatGPTを使ってタイトル案を出してもらいましょう。

対象読者やブログ記事の内容を明確に指定することで、より的確なタイトル案を出してもらうことが可能になります。また、個数を指定することでその分のタイトル案を出してもらうことが可能です。

Next Step >> もっとよくする！

USER
「夏」を感じられるタイトルに修正してほしい。

AI ChatGPT
季節感を取り入れた夏に関連する
ファッション系ブログ記事のタイトルを提案いたします。
以下の5つのタイトル案をご覧ください。

1. 「サマーコーデ特集！30代女性の夏のおしゃれアイデア」
2. 「夏の風を纏って♪ 大人の女性にぴったりな夏スタイル」
3. 「ハイサマー！30代女性におすすめの夏ファッションテクニック」
4. 「夏のおしゃれは軽やかに！30代女性のトレンドコーディネート」
5. 「夏の陽射しに映える！大人かわいい30代女性のサマースタイル」

これらのタイトルで、夏の季節感と30代女性向けの
ファッションを組み合わせたブログ記事を表現してみました。
ご希望に沿っていれば幸いです。

具体的なワードを指定する

季節やトレンド、アイテムなどのワードを指定してタイトル案に組み込んでもらうこともできます。「〇〇を入れてタイトル案を作って」など、工夫をしてみましょう。

ブログ記事のタイトル案
プロンプトのバリエーション例

クスっと笑えるような子育てブログ記事のタイトル案を出して。

タイトル冒頭にインパクトのあるワードを足して。

+α 読まれるタイトルにするには？

ブログやWEB記事を読んでもらうには、その**タイトル**がとても重要です。読者は常に情報を取捨選択しているため、**その一瞬に引っかかるタイトルやインパクトのあるワードが「読まれる」カギ**となるでしょう。

しかし、ChatGPTにタイトル案を出してもらうと、言葉はキャッチーでも、無難なタイトルになるケースもしばしば。そのため、ChatGPTの回答によって得たタイトル案をもとに、ブログなどの内容から具体性を入れ込んだり、反対に回答によって得たワードを残してタイトルを再構築したりして、タイトルをつけるとよいでしょう。

ブログや記事の内容がすでに出来上がっている場合は、ChatGPTにテキストを読み込ませて**「この文章にタイトルをつけるなら?」「この記事が多くの人に読まれるタイトルにするには?」**などのプロンプトを作成するとよいかもしれません。また、**「〇〇という言葉を使って」「数字を入れて」**など、具体的な指示を出すと、タイトルに独自性が生まれ、「読まれるタイトル」に仕上がるでしょう。

読者の興味を引くようなワードやタイトルが出るまで、何度も試してみるのもよいでしょう。

活用術

02 ブログ記事を書いてほしい

①ブログ記事の執筆を指示する。
②テーマを指定する。
③文字数などの条件を指定する。

USER

ブログ記事を書いてほしい。①
テーマは、**たまたま入った中華屋さんの餃子がおいしかった話**。②
文字数は**400字**。③

AI

ChatGPT

タイトル：「中華屋さんの餃子は絶品！　その魅力をあなたにも」
本文：先日、たまたま立ち寄った中華屋さんの餃子についてご紹介します。
まず、外見が美しい。薄く伸ばされた皮に包まれた具材は、一つ一つ手作業で丁寧に作られていることが伺えます。パリッとした食感も、餃子の魅力の一つです。一口サイズなので、箸でつまんでパクッと食べることができ、ついつい手が止まりません。
そして食べてみると、具材の旨味が口いっぱいに広がります。豚肉と野菜が絶妙なバランスで調和されており、肉汁と野菜の甘みが口の中で調和します。さらに、特製のソースとの相性も抜群で、餃子をディップするたびに新たな味わいを楽しむことができます。
ぜひ、皆さんもこの中華屋さんの餃子を味わってみてください。

文章とともに好きな画像を載せられるブログ。日記としてだけではなく、作品紹介やポートフォリオ的な使い方をしている人やブロガーとして活躍している人も多いのではないでしょうか。書くことはあるのに、時間がない……！　そんなときにもChatGPTを活用できます。

文字数を設定することも可能ですが、オーバーすることもあるため、投稿に文字数制限がある場合は、確認が必要です。

Next Step » もっと活用する！

USER
AさんとBさんの会話調の記事にして。

ChatGPT
タイトル：「中華屋さんの餃子は絶品！　その魅力をあなたにも」

Aさん：Bさん、先日行った中華屋さんの餃子が本当に絶品だったんだよ。
Bさん：本当に？　何がそんなに特別だったの？
Aさん：まず、見た目が美しいんだよ。薄く伸ばされた皮で具材が包まれていて、
一つ一つが手作業で丁寧に作られているんだ。
Bさん：おお、聞いてるだけで美味しそうだね。食感はどうだった？
Aさん：パリッとしてるんだよ、それがまたいいんだ。さらに一口サイズなので、
箸でつまんでパクっと食べられる。ついつい手が止まらなくなるよ。
Bさん：わかる、わかる。そういう食べ物は危険だよね（笑）。具材はどうだった？
Aさん：豚肉と野菜が絶妙にバランスされていて、
口の中で肉汁と野菜の甘みが調和するんだ。もう、口いっぱいに旨味が広がる感じ。
Bさん：それは確かに美味しそうだ。

会話調にしてみる

会話調の記事にしてみたり、文章を読み込ませて口調を寄せてみたりすることも可能です。

ブログ記事作成
プロンプトのバリエーション例

次の文章の口調に寄せて（寄せたい口調の文章をプロンプトとして入力する）。

新商品「〇〇」のレビューブログを書いてほしい。

+α 段階を踏んでブログを書いていく

ChatGPTにまとまった文章を書かせると、想定外の内容になってしまうこともあるでしょう。その場合、プロンプトを修正していくことも手ですが、**段階を踏みながらブログを作成**していくと、思い描く文章に近づくかもしれません。

例えば、最初から文章を書かせるのではなく、まずは書きたい事柄やテーマを事細かに指定した後、構成だけを作ってもらいます。ここで出てきた構成を修正することも可能です。「**構成の〇〇と〇〇を入れ替えて**」などと指示すればOKです。また、大まかな構成に対して内容が箇条書きで上がってくることもありますから、そこに具体的な話やワードを盛り込んでもよいでしょう。

構成が出来上がったら、肉づけするように文章を作成してもらいます。このとき、「**〇〇という言葉を使って**」などとワードを指定してもよいですし、**パラグラフ**ごとに文章を作成していってもよいでしょう。ポイントは、どれだけChatGPTに情報を与えることができるか。いきなり「〇〇について書いて」といっても、無難でありふれた文章になってしまいがちです。段階を踏みながら、具体性を加えていくと、イメージに近い文章を作成しやすくなります。

活用術

03 文章の口調や雰囲気を変えてほしい

①リライトを指示する。

②どのような口調・雰囲気にするか具体的に指定する。

③もとの文章を明示する。

USER

次の文章を書き直してほしい。①文章はカジュアルな雰囲気に。②：

③こんにちは。美を追求する女性の皆さんへ、最新の美容トレンドや効果的なスキンケア方法をお伝えします。あなたの肌に輝きを与えるスキンケアアイテムやメイクのテクニック、健康的な食事やエクササイズのヒントなど、美容に関する情報をお届けします。自信を高め、魅力を引き出すためのヒントが満載です。あなたの美しさをさらに輝かせるためのアドバイスを提供します。

ChatGPT

やっほー、美を追求するガールズ！
最新の美容トレンドやスキンケアのテクニック、
メイクのノウハウ、健康的な食事やエクササイズのコツなど、
美に関する情報をお届けするよ。
肌に輝きをプラスして、自信と魅力をアップさせるためのヒントが
たくさん詰まってるから、絶対に見逃さないでね。
もっと輝く美しさを手に入れるためのアドバイス、
ここでゲットしちゃおう！

Next Step >> もっとよくする！

USER
この文章を、次のペルソナ向けにして。
ペルソナ：20代女性、プチプラ好き、簡単にできる美容テクニックが好き。

ChatGPT
やっほー、プチプラを愛する20代のガールズたちへ！
最新のプチプラ美容トレンドや、手軽に試せるスキンケアテク、
シンプルメイクのコツ、気軽に取り入れられる健康食や
エクササイズの方法をシェアするよ。
毎日のケアで肌の輝きをUPし、
もっと自分に自信を持つためのアイデアが満載だよ。
簡単でお財布に優しい美容テクを知りたいなら、ここでチェックしてね！

ペルソナを設定する

追加のプロンプトでより詳しいペルソナ（人物像）を設定してみましょう。ただし、口調も引き継ぐため、希望があれば指定します。

記事やブログにおいて読者を引き込むには、**対象読者に合わせた文章**が必要です。ChatGPTに語調や雰囲気を指定するとその通りに書き替えてくれます。文章全体を「です・ます」調から「だ・である」調に変えたりすることもできます。

また、**ペルソナ**（人物像）を設定してそれに従った文章を作ることもできます。年齢や仕事、どのような趣味を持っているのか……という風にペルソナを指定し、そのペルソナを対象にした文章を作って、とChatGPT に入力してみるのもひとつの手です。

語調を変更する際の
プロンプトのバリエーション例

25歳OLに向けた文章にしてほしい。

だ・である調にしてほしい。

+α 一人称を設定する

文章の雰囲気を指定する際には対象読者を設定するのも効果的ですが、さらに、文章の中で「誰」が書いているのかを明示すると、より伝わりやすい文章になります。例えば「**美容に詳しいアドバイザーから、美容に全く知識がない方へ向けて**」と指示すると、美容についてより基礎的な内容を補足してくれます。

また、雰囲気を変える際のプロンプトにはコツが必要です。具体的な指示である「だ・である調にして」といったものは正しく出力されますが、雰囲気についての抽象的な指示は自分の思ったように出力されない場合があります。そのような場合には、何度も表現を変えて試したり、対象読者の人物像であるペルソナを設定してみたりするとよいでしょう。

活用術

04 キーワードから文章を書いてほしい

① キーワードから文章を生成することを指示する。
② 文字数や文章の目的・テーマを伝える。
③ キーワードを指定する。

USER

以下のキーワードから文章を作って①ほしい。文字数は300字で、京都旅行をおすすめするWEB記事②にしてほしい。キーワードは以下：

③[貴船神社　伏見稲荷大社　東寺　名産品

AI

ChatGPT

京都旅行は、日本の歴史と文化に触れる素晴らしい経験です。
まずは、貴船神社へ足を運んでみてください。
清らかな雰囲気と美しい自然環境が心を癒してくれます。
次に、伏見稲荷大社へ行きましょう。
絶え間ない千本鳥居のトンネルは圧巻で、神秘的な雰囲気に包まれます。
また、東寺もおすすめです。国宝の五重塔や巨大な金堂が見所で、
仏教の歴史を感じることができます。
そして、名産品も忘れずに。お土産には、抹茶や和菓子がおすすめです。
その繊細な味わいは、日本の伝統を体験する一助となるでしょう。

文章を書きたいけど内容がうまく定まらない……。そんなときは、**「何を目的とした文章にしたいのか」「どのキーワードをもとにするのか」**を指定するだけで、ChatGPTが素早く文章を生成してくれます。さらに、どのような読者へ向けるのかを指定すると、より文章の精度が高まります。キーワードによって生成される文章が異なるため、しっくりこないときは、キーワードを変えてみながら生成を試してみましょう。

Next Step >> もっとよくする！

USER
この文章に東京からのアクセスが容易という話も入れて。

ChatGPT
京都旅行は、日本の歴史と文化に触れる素晴らしい経験です。
さらに、東京からもアクセスが容易で、新幹線で約2〜3時間で到着することができます。
まずは、貴船神社へ足を運んでみてください。
清らかな雰囲気と美しい自然環境が心を癒してくれます。
次に、伏見稲荷大社へ行きましょう。
絶え間ない千本鳥居のトンネルは圧巻で、神秘的な雰囲気に包まれます。
また、東寺もおすすめです。
国宝の五重塔や巨大な金堂が見所で、仏教の歴史を感じることができます。
そして、名産品も忘れずに。お土産には、抹茶や和菓子がおすすめです。
その繊細な味わいは、日本の伝統を体験する一助となるでしょう。

東京から短時間で行ける便利さと、歴史や文化に触れる機会が豊富な京都。
一度は訪れてみてください。

追加したいトピックを指定

キーワードだけでなく、「〇〇についての話を入れて」など、トピックを指定して生成することもできます。

単語から文章を作成する際のプロンプトのバリエーション例

「〇〇」というキーワードも追加して。

さっきのキーワードから、「〇〇」というタイトルの文章を作ってほしい。

+α 文章のたたき台を作る

キーワードのみから文章をつくってもらう方法は、テーマやアイデアは持っているけど、うまく文章にまとめられない……という方におすすめです。自分が表現したいことについて、**テーマと方向性、いくつかのキーワードがあれば簡単に文章を生成することができます**。キーワードに加えて**トピック**や**テーマ**、**自分の考え**や**文章**の方向性を指定することで、より読者を意識した文章になります。

しかし、キーワードを指定する手法は、事実とは異なる文章が生成されてしまう可能性があります。そのため、生成された文章を読み直し、**自分でファクトチェックを行うことが大切**です。

活用術
05 外国人向けに文章を翻訳してほしい

①翻訳後の言語を指定する。
②文章を翻訳してほしいと指示する。
③翻訳してほしい文章を明示する。

USER
次の文章を英語①に翻訳して②ほしい。：

③
このブログは、海外の皆さんに日本の美しい文化や伝統、そして最新のトレンドを紹介します。日本の四季折々の風景、美味しい食べ物、歴史的な名所や伝統的なお祭りなどについて知って、素晴らしい旅を楽しみましょう！

AI
ChatGPT
In this blog, we will introduce the beautiful culture, traditions, and latest trends of Japan to our international readers. Learn about Japan's diverse landscapes throughout the seasons, delicious food, historical landmarks, and traditional festivals, and embark on a wonderful journey of exploration!

インバウンド需要が年々増加しているなか、**外国人向けの文章**を用意する必要性も増えてきました。ChatGPTを使えば、簡単に文章を翻訳することができます。プロンプトには翻訳する文章を明確に書いておきましょう。また、翻訳先の言語を指定することも重要です。翻訳サイトとは違い、言語の制限がないのも特徴です。さまざまな言語圏の人に向けた文章が簡単に作成できます。

Next Step >> もっと活用する！

USER
フランス語と中国語に
翻訳してほしい。

ChatGPT
要求された文章をフランス語と中国語に翻訳します。
フランス語：
Dans ce blog, nous présenterons la belle culture,
les traditions et les dernières tendances du Japon à nos lecteurs internationaux.
Découvrez les paysages variés du Japon à travers les saisons,
la délicieuse cuisine, les monuments historiques et les festivals traditionnels,
et embarquez pour un merveilleux voyage d'exploration!

中国語：
在这个博客中，我们将向我们的国际读者介绍日本美丽的文化、传统和最新潮流。
了解日本四季变幻的风景、美味的食物、历史名胜和传统节日，踏上一段美妙的探索之旅吧！

別の言語に翻訳する

ChatGPT ではさまざまな言語での出力が可能です。希望する言語への翻訳を試してみましょう。

翻訳をする際の
プロンプトのバリエーション例

韓国語に翻訳して。

英語用のブログタイトルをつけて。

+α 正しい翻訳を行うコツ

ChatGPTは**高い言語処理能力**を持っており、さまざまな言語にも対応しています。GPT-4で対応している言語をChatGPT自身にたずねると、比較的うまく対応できる言語は、英語、スペイン語、フランス語、ドイツ語、イタリア語、ダッチ語（オランダ語）、ロシア語、中国語、日本語、韓国語、アラビア語と回答しました。**ただし、ChatGPTは基本的に英語がベースになっているため、ほかの言語に対応する場合は精度が落ちる可能性があります。**

こうした高い言語処理能力を活かせば、ブログだけでなく、外国人の顧客とのメールの翻訳や、海外の作品の翻訳なども可能です。

翻訳された文章に使われている単語や文法が難しいものなら「もっと簡単に」、もう少しビジネスに寄った文章にしたければ「もう少しビジネス向けに」「ネイティブスピーカーのように」など**追加の指定をすることもできます。**もちろん英語を含めたさまざまな言語から日本語に翻訳することが可能です。しかし、翻訳結果が常に正しいという保証はないため、自分で読む、あるいはほかの翻訳サイトを使った確認を適宜行うようにしてみてください。

活用術

06 記事の内容に合った図のアイデアを出してほしい

①目的を指定する。
②図案の考案を指示する。
③文章を明示する。

USER

次のブログ記事に挿入する①図のアイデアを出してほしい②。

③
タイトル：「海洋生物の驚くべき適応力」
海洋生物は、極端な環境条件に適応する驚異的な能力を持っています。彼らは、厳しい塩分濃度や圧力、限られた餌の供給、そして暗闇の中での生活など、さまざまな困難に直面しています。このような環境で生き抜くために、海洋生物は進化の力を駆使し、独自の適応戦略を進化させてきました。

ChatGPT

ブログ記事「海洋生物の驚くべき適応力」に挿入する図のアイデア：

1. 適応の過程を示すタイムライン図
   古代の海洋生物から現代の生物までの適応の過程や変化を示す。
2. 比較図
   深海の生物と浅い海域の生物の体の特徴や適応戦略の違いを並べて示す。
3. 特定の生物の適応戦略のクローズアップ図
   例えば、深海魚の透明な体、あるいは光を発する能力などの特徴を詳細に描写。
4. 環境別の海洋生物イラスト図
   塩分濃度が高い場所、圧力が高い深海、光が少ない場所など、
   それぞれの環境で生き抜くための生物の特徴や適応戦略を描写。

Next Step >> もっと活用する！

USER
2の図について、簡単に説明のキャプションを作成して。

AI ChatGPT
図2：海洋生物の適応戦略の比較 — 深海vs浅海

この図は、深海生物と浅い海域で生息する海洋生物との間で見られる
主な体の特徴と適応戦略の違いを示しています。
例えば、深海生物は圧力に耐える特別な身体構造や、
暗闇で生きるための光を発生する能力を有しています。
一方、浅海の生物は豊富な光と餌に適応したカラフルで活発な特性を展開しています。

図版アイデアから本文を生成する

ChatGPTが出してくれた図のアイデアから、図の説明をするキャプションを作成してみましょう。

本や新聞、WEB記事など文章を扱う媒体では、文章以外にも画像や図版などをつけることで、理解度を高めたり、イメージしやすくしたりと、読者のために工夫されているものが多いです。しかし、**文章を視覚的に表現する**ことに悩む場合もあるでしょう。

何についての画像・図版を入れるか悩んだときにも、ChatGPTに聞くことでアイデアを出してもらいましょう。ただし、ChatGPTは文章での出力が基本となります。

なお、有料版の画像生成機能である「**DALL・E3**」(P.86～87) を使えば、文章に合ったイラストを直接生成することも可能です。

文章に合った画像案を出す際のプロンプトのバリエーション例

この解説文に適したキャラクターは？

この内容の理解度を上げるための図はどんなものがよい？

+α イメージイラストのアイデアを出す

ChatGPTは**アイデア生成**が得意なツールです。そのため、本文や記事のテーマを提示したあと、「**この内容を説明する図のアイデアを出して**」などと指示すれば、本文にふさわしい内容の画像・図版のアイデアを生成することができます。

これはイラスト発注の際にも応用が可能で、文章中に挿入するイラストの案も生成してくれます。特にイメージカットなどを挿入する際には、一度ChatGPTにアイデアをもらってからだと効率がアップするでしょう。

活用術 07
文字起こしのメモを文章にまとめてほしい

POINT

①文章の形式を指定する。
②まとめ文の作成を指示する。
③文字起こしのメモを明示する。

USER

次の文字起こしメモを400字のブログ記事①としてまとめて②ほしい。:

③ ダイエットに効果的な運動は、そうですね、まあ有酸素運動が基本です。それに筋トレを組み合わせていく形が一番効率がいいですね。筋トレはご自分が気になる部位を積極的にやるといいですね。プランクなんかはおすすめですね、姿勢維持にも効果がありますし続けやすいと思うんで、まあ続けるというのがいちばん大事かなと。

ChatGPT

タイトル：「ダイエットに最適な運動の組み合わせ」

本文：ダイエットを成功させるための運動方法について、多くの人が疑問を持っていることでしょう。実は、ダイエットに最も効果的なのは、有酸素運動と筋トレの組み合わせです。

有酸素運動は、脂肪を燃焼させるための基本的な運動として知られています。一方、筋トレは筋肉を鍛えることで、基礎代謝をアップさせる効果があります。特に、自分が気になる部位に焦点を当てて筋トレを行うことで、効果的な結果を得ることができます。

中でも、プランクは筋トレの中でも特におすすめの運動です。これは、体の中心部を鍛えることができ、姿勢の維持にも効果的です。さらに、特別な器具が不要で、どこでも簡単に始めることができるため、継続しやすいのが魅力です。

ただし、最も大切なのは「続けること」です。短期間での効果を求めるのではなく、長期的な視点で運動を継続することで、健康的な体を手に入れることができます。

Next Step » もっとよくする！

USER
文字起こしを箇条書きで要約して。

ChatGPT
文章の要点を以下のように箇条書きにまとめました：

・ダイエットに効果的な運動の基本は有酸素運動です。
・有酸素運動と筋トレを組み合わせると効果が上がります。
・筋トレでは、気になる部位を特に積極的に取り組むと良いです。
・プランクは特におすすめで、姿勢維持にも効果があります。
・何より、運動を継続することが大切です。

この形式で問題がなければ良いのですが、
さらに何か修正や追加情報が必要であれば、お知らせください。

要約してもらう

文字起こしのメモを箇条書きで要約してもらえば、より効率よく内容を整理することができます。

録音した音声を文字起こしして文章にする際にもChatGPTが役立ちます。取材の録音やまとめたい内容の文字起こしをそのままプロンプトに入力し、同時に「ブログ記事にまとめて」と指示することで音声をまとめた記事を作成することができます。文字起こししたファイルは、**事前に要約や冗長な表現の削除、句読点の挿入や誤変換のチェックなど、テキストの編集を行っておくと精度が上がります。**

文章量が多い場合には、「**Advanced Data Analysis**」（P.21）を使い、テキストファイルを読み込ませてもよいでしょう。

文字起こしをまとめる際のプロンプトのバリエーション例

ケバ取りを行ってほしい。

メモから重要なキーワードを5つ抽出して。

+α 文章から重要なキーワードを抽出する

文字起こしを利用してChatGPTに記事を書かせるだけでなく、要約やキーワードの抽出を行うこともできます。文字起こしのメモを読み込ませて、そこからまずは重要なトピックやキーワードを引っ張り出してもらってもよいでしょう。**これを使用して、文章の土台やハイライトを作れば、効率的に文章を作ることができます。**

また、もくじ構成を提示して、「これに沿って文章を作って」と指示すれば、もくじ通りの構成の文章を生成できます。

活用術

08 SNSに投稿するネタのアイデアを出してほしい

POINT

①SNSの種類を指定する。
②投稿ネタの考案を指示する。
③SNS投稿の目的を伝える。

USER

Instagram①に投稿するネタ案を出して②ほしい。
目的は制作したイラストを
もっといろんな人に見てほしい③から。

ChatGPT

もちろんです！ 以下にいくつかのInstagram投稿のアイデアを提供します。
これらは絵を上げているアカウントに適したものです。

1. ステップバイステップの進捗画像：絵を制作する過程を逐次的に投稿しましょう。
   最初のスケッチから、カラーリングや詳細なディテールまで、進捗を共有することで、
   フォロワーに制作プロセスを見せることができます。
2. テーマに基づくシリーズ：特定のテーマに基づいたシリーズを作成し、
   そのシリーズの一部を順次投稿していきましょう。
   四季の風景、動物のポートレート、ファンタジーキャラクターなど、
   あなたの得意なテーマを選びましょう。
3. ファンアート：人気のあるキャラクターや作品にインスパイアされた
   ファンアートを制作しましょう。映画、漫画、ゲーム、アニメなど、
   あなたが好きなものに関連する作品を投稿することで、
   その作品のファンからの反応を得ることができます。

Next Step ≫ もっとよくする！

USER

案1を人物イラストでやりたい。具体的にどんな投稿をすると人気が出そう？

ChatGPT

人物イラストの制作過程をInstagramで人気を集めるために投稿する際の具体的なアイデア：

1. スケッチの初期段階
   設計図や線画を投稿し、キャプションで「ステージ1：初期スケッチ！何になるか楽しみにしててね」といったようにティーザーを入れます。
2. カラーリングの選定
   何色を使うかのパレットを先に投稿し、フォロワーに意見を求めると参加感を高められます。
3. 完成形とビフォーアフター
   最終完成形を投稿する際には、スライドショー形式で最初のスケッチからのビフォーアフターを見せる。
4. タイムラプスまたは動画
   制作過程をまとめたタイムラプス動画も人気があります。それをストーリーズや動画で共有
5. フォロワー参加型のコンテンツ
   「次に描いてほしいキャラクターは?」といった投票や質問を挟むことで、フォロワーの参加を促しましょう。

投稿内容を具体的に指定する

どのような投稿をするか具体的に指定して、本文を生成してみましょう。

またあるSNSの投稿をする際にも、ChatGPTが活用できます。**どのように投稿すれば効果的かがわからない**ときは、ChatGPTに**投稿するネタのアイデア**を出してもらいましょう。

この際に、「フォロワーを増やすためにリーチを増やしたい」といった具体的な目的や、「オリジナルの人物イラストを主に描いているアカウント」とアカウントの特徴を明確にすると、より効果的なアイデアが出力されます。

+α より効率的なSNS運用を行う

SNSは継続して投稿することで、たくさんの人に見てもらうことが大切ですが、それを実行するのは至難の業です。SNSでPR案件を行うほか、本業の宣伝の場として使うこともあるでしょう。しかし、その一投稿のために何時間もかけてしまうと、非効率的です。

そんなときにChatGPTにSNSの投稿内容の**ネタ出しや投稿文、写真・絵のキャプションのアイデアを出してもらう**ことで、SNS投稿にかかる時間を節約できます。実用的なアイデアをもらうために、プロンプトには欲しいネタについての具体的な情報を入力するようにしましょう。例えば、「たくさんの人に届くように」「写真好きの人の目に留まるように」「作品が際立つように」といった一言が効果的です。

活用術

SNSの投稿文を考えてほしい

① SNSを指定する。
② 投稿文の考案を指示する。
③ 内容を指定する。

USER

X（Twitter）①の投稿文を考えて②ほしい。内容は以下：

③
・7月7日から開催する個展の告知
・視覚的に捉えやすいツイートにしてほしい

ChatGPT

もちろんです！　以下は、目に留まるような告知ツイートの例です。

「🎨✨個展開催のお知らせ✨🎨
7月7日から私の個展が始まります！　新作の絵画を一挙公開します！
会場では私と直接お話できる機会もありますので、ぜひお越しください！お楽しみに！
#個展 #アート #絵画 #展示会」

「✨🖼7月7日から個展開催🖼✨
カラフルで幻想的な世界観が広がる個展が間もなくスタートします！
鮮やかな色彩と細部までこだわった作品たちをぜひご覧ください！
会場は〇〇ギャラリーです。お見逃しなく！
#個展開催 #アートイベント #絵画展示」

鮮やかな絵画イメージを添付することで視覚的にも訴求力を高めることができます。

Next Step >> もっとよくする！

USER
もう少し短文にまとめてほしい。いくつか案を出して。

ChatGPT
「7月7日から個展スタート
新作一挙公開！ 会場でお待ちしてます！ #個展 #アート」

「7月7日、個展が○○ギャラリーで開幕！ 作者と直接お話できるチャンス！
お楽しみに！ #絵画 #展示会」

「7月7日個展始まるよ！ 新作公開＆作者と話せる機会も！ 来てね！ #個展 #アート」

「7月7日個展@○○ギャラリー！ カラフルで幻想的な作品展示！ 見逃すな！
#アートイベント」

「7月7日から個展！ 新作あり＆お話もできるよ！ #アート #展示会」

短文で作り直す

文章が長すぎると感じたら、「短くして」などと伝えることで短い投稿文を再生成することができます。

ChatGPTではSNSの投稿文を考えてもらうことも可能です。その際は**投稿するSNSと、どのような内容を投稿するかを指示しましょう**。SNSを指定することで、そのSNSに沿ったトーンで出力されます。作成されたものは自分のSNSのイメージと離れている場合があるため、自分の手で調整を加えるか、「短文で」「もっとあっさりした感じで」など追加のプロンプトで指示を加えましょう。ChatGPTは2023年9月現在、「Twitter」→「X」への名称変更をしていないため、プロンプトでは「Twitter」と入力するのがおすすめです。

Chapter 0 1 2 3 4 5 6

+α ターゲット層を広げる

注目を集めるような**SNS投稿文**を作成するのは、難しいものです。ChatGPTでの出力はトーンが限られてしまうため、自分でのアレンジが必須。ですが、素敵なアイデアをたくさん出してくれるところがChatGPTのよいところなので、最大限に活用していきましょう。

「**絵文字は無しで作成し直してほしい**」と指示することで絵文字がない投稿文のアイデアも出力できますし、「**ハッシュタグを増やしてほしい**」「**もう少し難しい表現で**」といった指示も可能です。また、英語や韓国語での出力を指示することで、異なる言語圏の人にも自分の投稿をアピールすることができます。自分のアカウントのターゲット層を分析して、より効果的な投稿を作成するのに役立ちます。

活用術 10

SNSで注目されやすい投稿文に修正してほしい

POINT

①SNSを指定する。
②投稿文の修正を指示する。
③修正してほしい文章を明示する。

USER

次の文章をX（Twitter）①で注目されやすい投稿文に修正して②ほしい。修正案をいくつか出して。：
③「猫を飼っている人の、あるあるネタ募集。」

AI
ChatGPT

「猫飼い、手を挙げて🙋
"猫飼いあるある"で最も共感したネタは何？
一番リアルなツイートを明日ピックアップして特集します！🔥
#猫飼いあるある #猫爆笑モーメント」

「🚨今すぐRT🚨
猫飼いあるあるで最も笑える、共感できるネタは？🐱
最もいいね！ されたネタを後で特集するから、見逃すな!! #猫飼いあるある」

「限定イベント🌙
"猫飼いあるある"で一番ウケるネタを教えて！
最優秀ネタは明日の投稿で特集します！📢
#猫飼いあるある #今夜だけの猫祭り」

Next Step >> もっとよくする！

USER
自分の動画（「ニャンコのいたずら日記」）のURLに誘導してほしい。

ChatGPT
「猫飼い必見
“猫飼いあるある”で共感するネタは？
一番リアルなツイートは「ニャンコのいたずら日記」で特集！
→[URL]　#猫飼いあるある #YouTube特集」

「今すぐRT
猫飼いあるあるで最も笑える、共感できるネタは？
最もいいね！　されたツイートを「ニャンコのいたずら日記」でピックアップ！
→[URL]　#猫飼いあるある」

「限定イベント
“猫飼いあるある”で一番ウケるネタを教えて！
最優秀ネタは明日の「ニャンコのいたずら日記」で特集
→[URL]　#猫飼いあるある #今夜だけの猫祭り」

自分のコンテンツへ誘導する

自分のブログや動画へ誘導するような投稿文を作ってみましょう。

新たな投稿をするときは注目を集めたいもの。何を投稿するか決まっていても、注目を集めるような投稿内容を考えるのは難しいですよね。ChatGPTのプロンプトに投稿内容を入力し、**「注目や反応されやすい投稿に修正して」**と指示すると、注目を集めるような投稿文を生成してくれます。

この手法を使って、動画やブログなどを宣伝する投稿の文章を考える際の参考にすることもできます。

+α 投稿の目的を指定する

注目を集める内容を投稿するだけでなく、そこから自分の**コンテンツ**への集客に繋げたいですよね。追加のプロンプトで「**〇〇に誘導してほしい**」のような指示をすると、もとの文から自分のコンテンツへ誘導するような投稿文を生成することができます。

文章のトーンやスタイルを設定する場合には、自分のブランドイメージや人物像をChatGPTに指定して、「この人物像になりきって書いて」と指示をすることもできます。さらに、自分のスタイルやブランドイメージに合わせて、微調整を行うことで、個性を加えることができます。

また、**コンテンツ自体の説明**をChatGPT**に入力して「注目されるような紹介をしてほしい」と指示する**と、自分のコンテンツをそのまま紹介する投稿文が生成できます。過去の作品を再度投稿し直したい場合などに使える技です。

活用術

11 フォロワーを増やす方法を教えてほしい

① SNS活用の目的を伝える。
② SNSの種類を指定する。
③ フォロワーを増やすための方法を考えてほしいと指示する。

USER

YouTubeで飲食店を紹介するチャンネルの運営をし、
その宣伝①のためにInstagram②を利用しています。
フォロワーを増やすための案を教えて③ほしい。

AI ChatGPT

定期的な投稿：一定の頻度で投稿を行い、フォロワーに内容を期待させます。
インタラクティブな要素：アンケート、クイズ、
質問箱などを使ってフォロワーとの対話を促す。
ハッシュタグ：関連する業界や地域、食材などのハッシュタグを活用。
コラボレーション：他の飲食店や地域の有名人、
インフルエンサーとの共同キャンペーンや取材を行う。
特別なディスカウントやプロモーション：Instagramのフォロワー限定の特典を提供。
YouTubeとの連携：InstagramでYouTubeの新しい動画を告知し、予告編やハイライトを掲載。

クリエイターにとって、フォロワー数は自分の影響力と結びつく数字です。しかし、フォロワーが増えるような投稿内容を考えるのは難しいですよね。ChatGPTに、自分の活動の内容や、どのような層に届けたいかなどと一緒に、「**フォロワーを増やす方法を教えてほしい**」とプロンプトに入力することで、どのような投稿がフォロワーにとって効果的かを教えてくれます。出力された投稿のアイデアを参考にして投稿を作ってみましょう。

Next Step >> もっとよくする！

USER

Instagramのプロフィール文をフォロワーが増えるように作って。

ChatGPT

了解しました。以下、Instagramのプロフィール文の提案をさせていただきます。

🍽経営飲食店オーナー｜美食の探求者🍜
✨こだわりのメニューから裏レシピまで公開中！
🥘食べるのが好きなあなたへ、私たちの味をお届けします。
🔗[店舗のウェブサイトやリンク]

この文により、アカウントの内容が飲食店に関連していること、
食に関する情報やレシピを公開している点、
そして目指すフォロワー層が美食家や食べることが好きな人々であることが
伝わるようにしました。リンク部分には、店舗のウェブサイトや、
特定のプロモーションやキャンペーンのリンクを設定できます。

このプロフィール文がお気に召すかどうか、フィードバックをいただけると幸いです。

プロフィール文を考えてもらう

フォロワーを増やすには、自分に興味を持ってもらえるようなプロフィール文が必要不可欠です。

フォロワーを増やす
プロンプトのバリエーション例

フォロワーを増やすのに効果的な投稿文を考えてほしい。

どんなプロフィール画像が注目を集めやすい？

+α 投稿文以外のアイデアをもらう

SNSのフォロワーを増やすのに必要な要素は、**活動内容、投稿内容、プロフィールの内容**です。特にプロフィール文は、プロフィールに訪れたユーザーに自分の活動をアピールできる場所です。簡潔かつ魅力が伝わるプロフィール文を書く際に、ChatGPTを活用してみましょう。

自分でアレンジを加えることで、オリジナリティのあるプロフィール文が完成します。また、投稿のアイデアを出力したあとに、追加のプロンプトで「**そのアイデアをもとに投稿文を作って**」と指示するのもよいでしょう。ChatGPTにSNS運用のアイデアをもらうことで、より効果的にユーザーにアピールする方法を探ることができます。

活用術
12 記事の構成案やもくじ案を作ってほしい

POINT

①何についての記事か指定する。
②記事の構成案の作成を指示する。
③対象読者や記事の内容を指定する。

USER

ChatGPTの使い方①に関する
記事の構成を作って②ほしい。
誰でもわかるように基本③から説明してください。

ChatGPT

以下は、ChatGPTの使い方に関する記事の構成例です。

Ⅰ. はじめに
1. ChatGPTについての紹介
2. この記事の目的と概要

Ⅱ. ChatGPTとは
1. ChatGPTの基本的な説明
2. GPT（Generative Pre-trained Transformer）の概要
3. ChatGPTの応用範囲

Ⅲ. ChatGPTの特徴
1. 自然な対話生成能力
2. 多様なトピックに対応可能
3. 高度な文章理解と応答生成

4. 追加の設定やパラメーターの調整の柔軟性

Ⅳ. ChatGPTの使い方
1. ChatGPTへのアクセス
2. 対話の開始
3. 応答のカスタマイズ
4. 高度な機能の活用

Ⅴ. ベストプラクティスと注意点
1. ユーザーエクスペリエンスの向上に向けたヒント
2. 情報の正確性やエシカルな利用に注意すること

Ⅵ. まとめ

この構成をベースに記事を作成し、それぞれの項目を詳細に記述していくことで、読者がChatGPTの使い方や特徴を理解し、効果的に活用できるようになるでしょう。

記事を書く際には、読者に対して的確に、わかりやすく情報を伝えることができるように意識しますよね。その際に大切なのが記事全体の構成やもくじです。プロンプトに「○○についての記事の構成案を出して」と入力すると、記事の構成案を生成してくれます。このとき一緒に、「○○と○○についての項目を入れたい」「○○について触れたい」などの指示をすると、その項目を含んだ構成案を生成してくれます。

記事の構成案の
プロンプトのバリエーション例

見出しの数が4つになるように構成して。

○○について説明する項目も入れて。

+α 難易度に合わせた出力

構成案や**もくじ案**を出力したあと、ターゲットに対して**内容が難しすぎると思ったら追加のプロンプトで「初心者向けに」、内容が簡単すぎると思ったら「上級者向けに」と指示すれば、新しい構成案を出力することができます。**

また、**見出しの数や内容を調節**することも可能です。難易度に合わせた出力を目指しましょう。さらに、「SEOが有利になるように見出しを調節して」「○○というキーワードを見出しに配置して」などと指示すれば、**SEO対策に特化した見出しの調節**も行うことができます。自分で調べた競合ページや重要な関連キーワードを加えてアレンジを行うことで、よりクオリティの高い記事が制作できます。

このようにChatGPTを活用することで、記事のターゲットに合わせた構成案や見出し案を作ることができます。

活用術

13 取材の準備を手伝ってほしい

POINT

①記事の内容を指定する。
②取材をすることを伝える。
③質問事項の考案を指示する。

USER

看護職の記事を書く①ことになりました。
看護師に取材②をするにあたり、
取材で使える質問事項の案を出して③。

ChatGPT

看護職の取材を行う際には、その仕事の具体的な内容、看護師自身の経験や感想、
そして看護師としての専門的な見解などを理解することが重要です。
以下に、取材時に考慮すべき質問事項の案をいくつか挙げてみます：

1. なぜ看護職を選んだのですか？
2. 看護職のどの部分が一番好きですか？ また、一番難しいと感じる部分は何ですか？
3. 一日の仕事の流れを教えていただけますか？
4. 看護師として最も重要だと思うスキルや特性は何ですか？
5. 看護師としてのあなたの専門分野について教えていただけますか？
6. 患者とその家族とのコミュニケーションについて、どのようなアプローチを取っていますか？
7. 看護師として最も印象に残っている経験や出来事は何ですか？
8. あなたが遭遇した最も困難な挑戦と、どのように対処したのかを教えていただけますか？
9. 看護師としてのキャリアで得た最も重要な教訓は何ですか？
10. 看護職に就きたいと考えている人々に対するアドバイスは何ですか？

Next Step >> もっと活用する！

USER
看護職について教えて。

テーマについての知識を得る

取材の事前準備としてインタビュイーやテーマについての知識を深めておくことも重要です。まずは大まかな知識を得るためにChatGPTに聞いてみましょう。

AI ChatGPT

看護職の概要
看護職は、医療チームの一員として、患者の健康の維持・回復をサポートする専門職です。具体的には、医師の指示のもとに治療を補助したり、患者の日常生活のサポート、健康教育などを行います。

看護職の資格・教育
多くの国で、看護師として働くためには国家試験に合格し、資格を取得する必要があります。また、看護学校や大学での教育が必要とされることが一般的です。

看護職の主な業務
1. 患者の観察・評価：患者の健康状態や症状を観察し、適切なケアや治療の提供に役立てるための情報を収集します。
2. 医療行為の補助：医師の指示のもと、注射や点滴などの医療行為を補助します。
3. ケアプランの立案・実施：患者のニーズに基づいて、個別のケアプランを立案し、実施します。
4. 健康教育：患者やその家族に病気の予防や生活習慣の改善に関する情報を提供します。
5. コミュニケーション：患者やその家族、他の医療チームとのコミュニケーションを取り、情報の共有や連携を図ります。

取材では事前準備がとても大切です。なかでもテーマに合わせた質問事項は必須となります。**テーマを指示して質問事項のアイデアを考えてもらう**と、自分でも聞いてみたいことが自ずと浮かんでくるかもしれません。また、取材をする際には、取材対象の理解を深めておくことも重要です。まずは基礎知識を手に入れるためのツールとしても活用してみましょう。ただし、ChatGPTは検索エンジンではありません。あくまでもアイデア出しの前の基礎知識を、簡単に理解するための位置づけと認識しておきましょう。

+α インタビュイーのファンになる

取材をする際は、**インタビュイー**のファンになりましょう。人はよく知らないものについてはなかなか興味が湧かず、取材でも聞きたいことが浮かばないものです。インタビュイーの人柄や所属している組織、普段の活動、思考や価値観などを徹底的に調べます。その過程で自分との共通点を見つけたり、反対に真逆な考えを持っていることを知れたりするかもしれません。そうした材料を持っておくと、取材時に「**これを聞いてみたい**」ということが浮かびやすくなるでしょう。

活用術

14 データの分析をしてほしい

▶「Advanced Data Analysis」を選択する。
①ファイルをアップロードする。
②データ分析を指示する。

USER

[ファイルを添付]①

添付ファイルをもとに、成長率を分析して②ほしい。

ChatGPT

ご提供いただいたデータを確認しました。以下の内容が含まれています：

・年度（2018年から2022年まで）
・その年度の売上
・その年度の利益

各年度の売上と利益の成長率は以下のとおりです：

年度	売上成長率(%)	利益成長率(%)
2018	-	-
2019	20.95%	25.09%
2020	-8.46%	2.97%
2021	31.43%	27.76%
2022	9.74%	13.27%

成長率から以下の点が観察できます：

・2019年には売上と利益の成長率が20%以上と大幅に増加しました。
・2020年には売上の成長率がマイナスとなりましたが、利益の成長率はまだ正の値を示しています。
・2021年には再び大幅な増加を見せ、特に利益の成長率が27.76%と高くなっています。
・2022年には成長率は減少傾向にありますが、それでも正の値を維持しています。

これらの数値を基に、
売上と利益の成長傾向やビジネスの健全性を評価することができます。

記事を書く際は何かのデータを分析することもあるでしょう。プロンプトに直接データを入力してもよいですが、ChatGPT Plusの機能である「Advanced Data Analysis」(P.21)をオンにすると**ファイルをアップロードできるため、データが入力されたExcelファイルなどを読み込ませて、データの解析と分析をしてもらうことができます。**また「○○について分析して」と指示すると、その分析結果を生成してくれます。膨大なデータを分析するときは、ChatGPTを使えば大幅に効率を上げられるでしょう。

データ分析の
プロンプトのバリエーション例

次のデータについて分析し、グラフを作成して。

次のデータを分析し、多い順にランキングを作成して。

+α データを分析する

ChatGPTに**ファイルをアップロード**すると、まずはそのファイルの読み込みからはじまります。つまり、データの内容について説明を入れなくとも自らデータ内容を解析してくれるのです。ただし、データが膨大であるほど時間がかかるため、ある程度データの説明をしておくと、よりスムーズに生成できるかもしれません。

また、「**分析してほしい**」の一言だけでも、データに合った分析をChatGPTが判断し、行ってくれます。左の例でいえば、成長率の分析をシンプルに指示するだけで、「**売上と利益の成長率の計算**」「**各年度の売上と利益の成長率の分析**」「**売上と利益の成長率の推移を表で表示**」の3つを行ってくれました。

どのように分析すればよいかわからないときは、一度ChatGPTに投げてみることもひとつの手です。またはChatGPTに何を分析すべきかたずねてみましょう。

活用術

15 SEO対策をしてほしい

USER

記事を書く際のヒントになる①キーワードを挙げてほしい。ターゲットは②ヘッドホンを買おうとしている人で、③よく検索されているキーワードを10個挙げてほしい。

POINT
- ①キーワードの列挙を指示する。
- ②ターゲットを指定する。
- ③挙げるキーワードの条件を指定する。

AI
ChatGPT

以下は、ヘッドホンを買おうとしている人向けの記事において、
検索ボリュームの多いターゲットキーワードとして考えられる10個の単語です。

ヘッドホン
ワイヤレスヘッドホン
Bluetoothヘッドホン
ノイズキャンセリングヘッドホン
オーバーイヤーヘッドホン
インイヤーヘッドホン
ヘッドホンの選び方
ヘッドホンの比較
ヘッドホンのレビュー
ヘッドホンの価格帯

SEO記事を書く際に最も大切なのは**ターゲットキーワード**です。ターゲットとなるユーザーは商品・サービスを利用する際どうやって検索しているのか、それに合わせて記事を作成します。ChatGPTを活用することで、**商品・サービスに関連するキーワードのなかから検索ボリュームが大きいと考えられるものをピックアップすることができます。**

追加のプロンプトで「**検索意図を挙げて**」と指示するとユーザーがキーワードについて検索する際の意図を想定してもらうことができます。

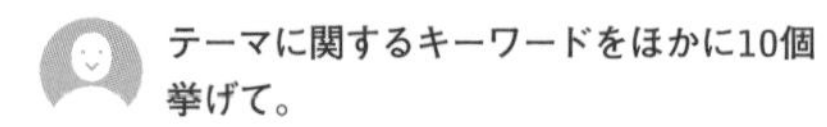

SEO対策する際の
プロンプトのバリエーション例

テーマに関するキーワードをほかに10個挙げて。

検索されやすいキーワードを含んだ見出しを考えて。

活用術 16 箇条書きを ひとつの文章にまとめてほしい

USER

以下の箇条書きをひとつの文章にまとめて①ほしい。:

②
- ガーデニングとは庭やベランダで草花を植栽、装飾して楽しむ活動
- 庭づくりや花の栽培、家庭菜園も含まれる
- 観賞用や食用、有用な植物を栽培する
- ガーデニングはリラックスできる活動
- 従来の日本式庭園が合わなくなり、集合住宅でも花や緑を楽しむことが流行
- 住居や生活形態の変化に伴い、ガーデニングの人気が高まっている
- ベランダや出窓などの小さなスペースでも花や緑を楽しめる

①ひとつの文章にまとめることを指示する。
②箇条書きにした文章を明示する。

ChatGPT

ガーデニングとは、庭やベランダを活用して草花を植栽・装飾することを中心に
楽しむ活動を指します。広義には、庭づくりや花の栽培、家庭菜園なども含まれます。
この中で、観賞用の植物だけでなく、食用や日常生活で有用な植物の栽培も
人気があります。ガーデニングは、心身をリラックスさせる効果があり、
都市部でも自然を身近に感じることができるため、多くの人々に愛されています。
近年、従来の日本式庭園が合わないと感じる方や、集合住宅に住む人々の間で、
ベランダや出窓を使用したガーデニングが流行しています。
この背景には、住居や生活形態の変化がありますが、限られたスペースでも
美しい花や緑を楽しむことができるため、多くの人々がガーデニングに取り組んでいます。

文章の要素は揃っているけれど、まとめるのが難しいときは、プロンプトで**「文章にまとめてほしい」という指示とともに文章の要素を伝える**と、**箇条書き**の要素がすべて含まれた文章が出力されます。出力されたものはところどころ表現が曖昧だったり不十分だったりするため、自分自身で確認と修正を加えましょう。また、基本的には指示した項目順で文章が構成されるため、項目を入れ替えて**リテイク**すると求めている文章に近づきます。

活用術

17 文章を要約してほしい

USER

次の文章を100字①程度に要約して②ほしい。:

③ 読書は多岐にわたる効果を持ち、さまざまな分野の知識の拡充や語彙力の向上、集中力や想像力の育成に寄与します。また、心のリラクゼーションとしてストレス軽減の効果もあり、物語の内容を記憶することで脳の記憶力も向上します。感受性が豊かになり、異なる視点や考え方に触れることで批判的思考が育成され、読んだ内容を他者と共有することでコミュニケーション能力も向上します。最終的に、多様な文学作品やエッセイに触れることで、人生の質も向上することが期待されます。

① 文字数を指定する。
② 文章の要約を指示する。
③ もとの文章を明示する。

ChatGPT

読書は知識の拡充や語彙力、集中力の向上に効果的であり、ストレス軽減や記憶力の強化にも寄与します。さまざまな文学に触れることで感受性や批判的思考が育ち、コミュニケーション能力が高まり、全体として人生の質が向上します。

文章をプロンプトに入力して、「要約して」と指示をすると、**入力した文章の要約が出力されます。**

文字数などの条件を指定しなくても要約してくれますが、入力するとより自分の求めているものに近づきます。要約文に記載してほしい内容が漏れていたら「この部分も追加して」などとリテイクして追加しましょう。

複雑で難しい内容の文章の内容を短時間で把握したいときにも役立つプロンプトです。

文章を要約する際の
プロンプトのバリエーション例

要約をさらに箇条書きにしてほしい。

小学生でもわかる表現を用いて要約してほしい。

活用術

18 文章を校正してほしい

USER

次の文章を校正して①ほしい。:

②フィンセント・ファン・ゴッホは、フランス生まれのポスト印象派を代表する画家でっす。大胆な筆遣いや奇抜な色彩で知られており、代表作には『ひまわり』『星月夜』などがあります。小麦畑や松のモチーフも有名で、その独特な作品で今もなお多くの人を未了しています。しかし、生前はまったく評価されず、個展の開催を夢見ていたことや、兄であるテオから金銭的な支援を受けていたことは勇名な話です。また、日本の浮世絵に影響を受けていたことでも知られ、自分の作品に浮世絵を登場させたこともありました。

①校正の指示をする。

②もとの文章を明示する。

ChatGPT

フィンセント・ファン・ゴッホは、オランダ生まれのポスト印象派を代表する画家です。大胆な筆遣いや奇抜な色彩で知られており、代表作には『ひまわり』や『星月夜』などがあります。小麦畑や松のモチーフも有名で、その独特な作品で今もなお多くの人を魅了しています。しかし、生前はまったく評価されず、個展の開催を夢見ていたことや、弟であるテオから金銭的な支援を受けていたことは有名な話です。また、日本の浮世絵に影響を受けていたことでも知られ、自分の作品に浮世絵を取り入れたこともありました。

ChatGPTで「校正してほしい」という指示と校正したい文章をプロンプトに入力すれば、校正された文章が出力されます。ただし、意図的に選んだ言葉が別の表現に置き変わってしまったり、校正が漏れたりすることもあるので、自分自身で読み直し、適宜修正を加えましょう。

文章を校正する際のプロンプトのバリエーション例

表記の不統一がないかチェックしてほしい。

活用術

19 文章やデータを一覧表にしてほしい

USER

主な金融資産の種類と概要①を一覧表②にまとめて③ほしい。

POINT
①まとめる対象を指定する。
②一覧表形式を指定する。
③情報をまとめることを指示する。

ChatGPT

金融資産の種類とその概要を以下に一覧表にまとめます。

金融資産の種類	概要
現金・預金	銀行や信用組合などの金融機関に預けられた資金。普通預金、定期預金などが含まれる。
株式	企業の所有権の一部を示す証券。株主は配当収入を得る権利があり、株価の変動により資産価値が変動する。
債券	国や企業が資金を調達するために発行する証券。一定の利息（クーポン）が付与され、期限が来たら元本が返済される。
投資信託	複数の投資家からの資金を集めて、専門家が株式や債券などに投資する商品。分散投資が可能。
不動産投資信託（REIT）	不動産への投資を目的とした投資信託。収益は賃料収入や不動産売却益から得られる。

表を作りたいときは、**表にしたい情報をプロンプトにまとめて入力する**と、情報に応じた**表を作成**してくれます。上記のようにひとつのものに対しての表を作ることもできますし、「**商品1　〇〇：〇〇、商品2　〇〇：〇〇**……」**というようにいくつかの情報を指定すると、比較の表を作ることもできます**。データをまとめて比較・検討を行う場合や、記事中で表を挿入する場合は活用してみましょう。

一覧表を作成するプロンプトのバリエーション例

商品ごとにスペックをまとめる表を作ってほしい。

値段を一番上にして、コストパフォーマンスを比較する表にしてほしい。

活用術

20 商品レビュー案を作ってほしい

USER

以下の商品概要を参考に、レビューを作成して①ほしい。：

②
ブランド：XYZ Audio／モデル：SuperBuds 2000
カラー：ブラック、ホワイト、レッド／防水性能：IPX5（汗や水滴に対応）
イヤホンタイプ：インイヤー型（In-ear）／ノイズキャンセリング：なし
マイク：内蔵マイク（通話用）／ワイヤレス接続：Bluetooth 5.0
バッテリー寿命：最大10時間（充電ケースを含まず）

①レビューの作成を指示する。
②対象商品の概要を明示する。

AI

ChatGPT

商品レビュー：XYZ Audio SuperBuds 2000
評価：★★★★☆
このXYZ AudioのSuperBuds 2000は、お手頃な価格帯でありながら、
クオリティの高いワイヤレスイヤホンです。
インイヤー型なので、快適に装着でき、耳から落ちる心配もありません。
また、ブラック、ホワイト、レッドという3つのカラーから選べるのも魅力的です。
音質に関しては、クリアでバランスのとれたサウンドを提供しており、
一般的な音楽ジャンルや通話にも適しています。
内蔵マイクもしっかりとした音声を伝えることができます。
ただし、ノイズキャンセリング機能はないため、
騒々しい環境では外部の音が気になることがあります。

商品やサービスの**スペック**、情報などを入力すると、その内容に沿った架空の商品**レビュー**を作ることができます。同じように映画や本、動画などのコンテンツに対してのレビュー案の作成も可能です。**レビューの書き方に悩んだときや自分の意見をうまくまとめるのが難しいときには、こうしたものをたたき台にすると書きやすくなるでしょう。**また、箇条書きで感想を書き込むと、うまくレビュー文に落とし込んでくれます。

活用術 21 堅苦しい文章をわかりやすくしてほしい

USER

次の文章を、子ども向け①のわかりやすい文章にして②ください。：

③
第五十一条　著作権の存続期間は、著作物の創作の時に始まる。
２著作権は、この節に別段の定めがある場合を除き、著作者の死後（共同著作物にあつては、最終に死亡した著作者の死後。次条第一項において同じ。）七十年を経過するまでの間、存続する。

POINT
- ①わかりやすさのレベルを指定する。
- ②わかりやすい文章の作成を指示する。
- ③もとの文章を明示する。

AI

ChatGPT

著作権っていうのは、誰かが作った特別なもの（たとえば、本や音楽、絵など）を守るルールだよ。このルールは、その特別なものが作られたときから始まるんだ。
そしてね、その作った人が亡くなっても、著作権はまだ終わらないんだよ。
作った人が亡くなってから、70年間もその特別なものを守り続けることができるんだ。
もしもの話、作ったのがチームだった場合は、チームの中で一番最後に亡くなった人のあと70年間、守られるんだよ。

ChatGPTは、**堅苦しい権利や契約の話**を理解するときにも役立ちます。文章を指定して、**「わかりやすく解説してほしい」と指示をすると、やさしい表現でリライトしてくれます**。法律をわかりやすく解説する記事を書くときや、自分自身が契約を結ぶ際に契約内容を確認するときにも活用することができます。リライトする際のトーンを設定すれば、**キャラクターのセリフ調の表現にしたり、さらにやさしい表現で出力**したりすることも可能です。

文章をわかりやすくするプロンプトのバリエーション例

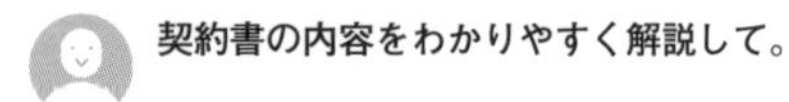

契約書の内容をわかりやすく解説して。

先生のキャラクターが解説している風に書き直して。

活用術

22 マインドマップを作成してほしい

USER

花についての英単語①を用いてマインドマップを作って②ほしい。

POINT

▶「Advanced Data Analysis」を選択する。
①言語を指定する。
②マインドマップの作成を指示する。

ChatGPT

「花」に関連するものをマインドマップの形式でまとめてみます。

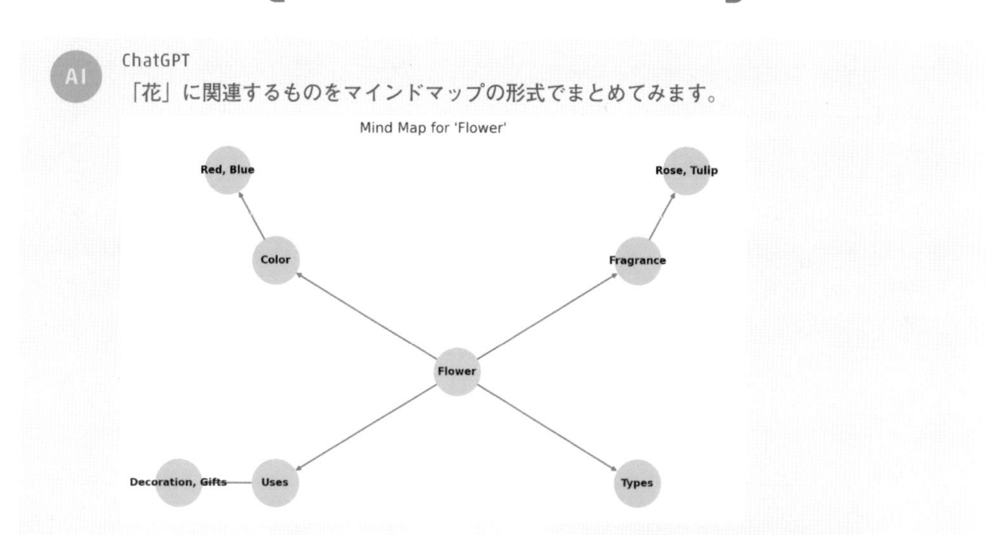

有料版ChatGPT Plusの機能である「**Advanced Data Analysis**」(P.21)を使用すれば、**マインドマップ**の作成が可能になります。マインドマップでは、思考を見える化して整理することができます。ただし、ビジュアル化するには日本語の対応ができず、文字化けしてしまうので、「**英語を使って**」と指示することでうまく生成できる確率が上がるでしょう。

マインドマップ作成のプロンプトのバリエーション例

「○○」から連想される言葉をマインドマップでまとめて。

電子機器の種類をマインドマップの形でまとめて。

Column 1

ChatGPTで最新情報を手に入れる

「ブラウジング機能」でWEB検索をする

ChatGPT（GPT-3.5）が学習済みの情報は2021年9月までの情報と解説をしてきましたが（2023年9月現在）、最新の情報にアクセスする方法もあります。

まず、有料版で使用できる「ブラウジング機能（Browse with Bing）」（P.21）があります。この機能をオンにすると、ChatGPTがWEB検索をし、最新の情報を踏まえた回答をしてくれるようになります。また、実際にChatGPTがどのWEBページを閲覧したかを確認することもできます。

プラグイン「Now」でトレンドを調べる

プラグイン「Now」を利用することでも、手軽に最新情報を調べることができます。

Nowは、「Google」や「Twitter（現X）」で情報収集できるプラグインで、世界中の最新ニュースやトレンドの情報をChatGPTのみで収集できます。

Googleトレンドを調べたい場合、コードを使用して詳細な調査を行うこともできますが、日本語で簡単にたずねることもできます。「日本で話題になっている映画を教えて。」「アメリカのエンタメのトレンドを教えて。」などのプロンプトを入力すると、最新の話題のニュースを拾ってくれます。どの国のトレンドを調べたいのかをプロンプトに入れるとよいでしょう。

Twitterのトレンドを調べる

Twitterで情報を集めたい場合、「Twitterで話題になっているスポーツの話題を教えて」などと入力すればOKです（ChatGPTは「Twitter」→「X」への名称変更を学習していないため、プロンプトではTwitterと入力するとよいでしょう）。

なお、現在はプライバシーの問題などによりツイートそのものを直接検索することはできません。

Chapter 2
デザイン・イラストのための活用術

活用術

23 デザインのアイデアを出してほしい

POINT

①誰に向けたデザインなのかを指定する。
②デザインの媒体を指定する。
③どんなアイデアを出してほしいのかを指示する。

USER

カップル向け①の
バレンタインイベントのポスター②を作りたい。
モチーフやデザインの案③を出してほしい。

ChatGPT

1. ハートと花束：バレンタインデーを象徴するハートの形を使用し、美しい花束を描くことで、愛とロマンスを表現できます。
2. キスするシルエット：カップルがキスをする瞬間のシルエットをポスターに描くことで、愛と情熱を表現できます。
3. チョコレートとリボン：バレンタインデーの定番であるチョコレートをモチーフにしたデザインも魅力的です。
4. 星と月：ロマンティックな雰囲気を出すために、星や月のデザインもよいでしょう。
5. 手書き風のイラスト：手書き風のイラストや文字を使うことで、温かみや親しみやすさを表現でき、愛と絆を感じさせるポスターになります。

広告やポスターのみならず、デザインの仕事では**コンセプト**や**モチーフ**を考えることは必須でしょう。しかし、例えば毎年バレンタインデーの広告を作っていれば、デザイン案を出すのにどうしても行き詰まってしまうこともあるのではないでしょうか。

ChatGPTを使えば、**ブレスト的にモチーフやデザイン案を考える**ことが可能です。ちょっとしたあしらいを考えるときにも活用してみてはいかがでしょうか。

Next Step >> もっとよくする！

USER
大人カップル向けに工夫できる点は？

ChatGPT
大人向けのバレンタインイベントのポスターデザインには、
以下のような要素を取り入れることで、より成熟した雰囲気を演出することができます。

1. シックなカラーパレット：落ち着いた色合いやモノトーンのカラーパレットを使用することで、大人の雰囲気を演出できます。グレー、ネイビー、ワインレッドなど高級感や上品さを感じさせる色を取り入れましょう。
2. シルエットとタッチ：カップルのシルエットや手の描写をより詳細に表現することで、情熱や親密さを表現できます。
3. レースや細部のディテール：レースのパターンやフィリグリーのデザインを取り入れることで、優雅さや繊細さを表現できます。
4. 高級感のあるフォント：フォントの選択にも注意を払いましょう。
クラシックで高級感のあるフォントや手書き風のシグネチャーフォントなどを
使用することで、ポスターにエレガントな雰囲気を与えることができます。

ターゲットをより細かく設定する

最初のプロンプトで指定しているターゲットをより詳細にすると、それに合わせたデザイン案を得ることができます。例えば「大人」や「学生」など、年代を具体的に伝えることも大事です。

デザイン案の考案
プロンプトのバリエーション例

サラリーマンの目を引く広告のデザイン案を出してほしい。

「日ごろの感謝を伝える」をコンセプトに、デザイン案を出してほしい。

+α より的確なデザインアイデアを引き出すには？

デザインは「伝えたい事柄」「伝えたい対象」などによって大きく変わるでしょう。広告であれば「掲示される**場所・媒体**」といった要素も大きく関わってきます。より的確な結果を得るためには、それらの要素を細かくChatGPTに指示することがとても重要です。

まずデザインと一口にいっても、ポスターやウェブサイト、ロゴ、バナー、装丁、名刺など、その対象は数多く存在します。この対象を指定することは必須です。

また、ターゲットやコンセプトの説明をすることも重要です。デザインに込めたいメッセージなどがあればそれを伝えることもよいでしょう。

もし余裕があれば、入れ込みたい特定の要素や、反対に避けたい要素を具体的に伝えることも重要です。

要件や希望を細かく指定することで、よりイメージするものに近いアイデアを得られるでしょう。

活用術24 デザインの配色案を出してほしい

①デザインの媒体を指定する。
②組み合わせたい色数を指定する。
③配色案の提案を指示する。

USER

育児ブログサイトのデザイン①をしたい。
3色の組み合わせ②で、3つの配色案を考えて③ほしい。

ChatGPT

3色の組み合わせで3つの配色案を提案いたします。

配色案1：ソフト＆パステル
淡いラベンダー／ミントグリーン／サンドベージュ
配色案2：ウォーム＆コージー
コーラルピンク／ゴールデンイエロー／アースブラウン
配色案3：モダン＆シンプル
スチールグレー／アイスブルー／ピュアホワイト

サイトデザインやフライヤー、サムネイルデザインなどをはじめ、多くのデザインにおける配色は、コンテンツのコンセプトや意図を伝える重要な要素のひとつです。**どんなデザインに使用するか**を提示した上で配色案を提示してもらうと、コンテンツに合った配色案をその配色が表すイメージとともに伝えてくれます。

また、そのコンテンツによって**どのような効果をもたらしたいのか**を考えましょう。例えばスーパーの広告のように「目立たせたい」のであれば、そうした目的を伝えることも重要です。

Next Step ≫ もっと活用する！

USER
3番の配色案をカラーコードを用いて教えてください。

ChatGPT
配色案に対応する代表的なカラーコードを以下に示します。
ただし、カラーコードは多少のバリエーションがあるため、
具体的なデザインのニーズに応じて微調整することができます。

スチールグレー：#696969
アイスブルー：#A0E7E5
ピュアホワイト：#FFFFFF

これらのカラーコードは、一般的なRGB値をベースにしています。
実際のディスプレイや印刷物での色の見え方は、
環境や設定によって異なる場合がありますので、
実際に使用する際にはプレビューして確認することをおすすめします。

色をコードで教えてもらう

カラーコードで具体的な色の値をきいて、デザインに役立てましょう。

配色案出し
プロンプトのバリエーション例

配色をCMYK値で教えてほしい。

くすんだ青に合う色を3色教えてほしい。

+α 色の役割を伝える

配色においては、**まずメインカラーを決めることが重要**です。そこからポイントとなる**アクセントカラー**を決めていくことで、メリハリのついた見やすいデザインとなるでしょう。そのため、ChatGPTには「メインカラーとアクセントカラーを指定して」などと色の役割を指示してもよいかもしれません。基準となるメインカラーに合う色を選んでくれます。

その際、配色の言語化はされているけど、実際の色の出力はされていないときには、媒体に合わせて「**カラーコード、CMYK、RGBで色を教えて**」と追加プロンプトで聞いてみましょう。上記の回答例のように、具体的な配色案を得ることができます。

また、色には与える印象やイメージがあります。例えば「赤」には情熱、リーダー、エネルギーといったイメージがあるでしょう。自分の持っている印象や「こんなふうにしたい」という考えを伝えると、それに合った色を選んでくれます。デザインをすることによる狙いやターゲット層などの情報をプロンプトで伝えることも重要です。

反対に、競合との差別化を図りたい、あまり好みでないといった理由から、避けたい色を指定してもよいでしょう。

活用術25 インスピレーションのもととなるアイデアを教えてほしい

POINT

①デザインの用途を指定する。
②アイデアを挙げることを指示する。
③複数案ほしいと指定する。

USER

洋服デザイン①の
インスピレーションを得られそうなアイデア②を
いくつか③教えてほしい。

ChatGPT

ファッションデザインのインスピレーションは、
日常生活のさまざまな要素から得られます。以下にいくつかのアイデアを示します：

1. ファッションショーとコレクション
2. ファッション雑誌やウェブサイト
3. ヴィンテージファッション
4. 芸術や建築
5. 自然や風景
6. 異文化や伝統的な衣装

展示会や新たなプロジェクトの告知ポスターやホームページ、ポートフォリオなどブランドイメージとなり得るものは、目を引くデザインにしたいものです。このプロンプトを使うと、斬新で**魅力的なアイデア**を得られます。

デザインの使用用途を提示することが重要です。「服」のみでなく**「オフィスカジュアルな」「テック系の」**などと具体的な指示をすることで提示されるデザインのアイデアもより適したものになります。

Next Step >> もっとよくする！

USER
「芸術や建築」を洋服の柄として落とし込むアイデアを教えてほしい。

ChatGPT
以下は、特定の芸術運動や建築スタイルと、
それを洋服の柄に取り入れる際のインスピレーションの提案です：

1. アールデコ
特徴：幾何学的なデザイン、豪華な装飾、対称性。
洋服への適用：幾何学的な模様や線のプリント、金属的な装飾。
2. アールヌーボー
特徴：曲線的で流れるようなデザイン、植物や花のモチーフ。
洋服への適用：花柄や植物のシルエットを用いたプリント。
3. キュビズム
特徴：幾何学的で断片的な形、複数の視点からの再構築。
洋服への適用：抽象的な柄やパッチワークデザイン。
4. ミニマリズム
特徴：シンプルで機能的なデザイン、クリーンなライン。
洋服への適用：単色やシンプルなストライプのデザイン。

アイデアを掘り下げる

出力結果をもとにアイデアを深掘りしてみましょう。洋服のデザインには形や柄、素材とさまざまな要素がありますから、落とし込みたい要素があれば併記しましょう。

デザインのインスピレーション
プロンプトのバリエーション例

このデザインで使用する色のアイデアを教えてほしい。

追加のアイデアを3つ出してほしい。

+α アイデアを具体化していく

プロンプトで出力されたもののうち「よいな」と感じたものは、さらに**追加プロンプトでアイデアを練って具体的なイメージへと昇華**させてみましょう。

上記のプロンプト例では、1回めに出力された「芸術や建築」から着想を得たデザインに目をつけました。そこから、具体的に洋服のデザインへ落とし込んでいくにはどのようにすればよいか、アイデアを聞いてみます。すると、具体的なデザインに使えそうなワードや要素がいくつか出力されました。

そして、さらにこのなかで「よいな」と感じたワードを拾い、アイデアを聞く、これを繰り返すことによって**抽象的だったイメージが具体化されていきます**。また、気に入った出力がなければ、再度「アイデアを教えて」と指示するか、「Regenerate」ボタンをクリックすると、新しいアイデアをもらうこともできます。

活用術

26 デザイン改善のアイデアを教えてほしい

POINT

①改善の対象となる媒体を指定する。

②現状のデザインを伝える。

③デザイン改善案の考案を指示する。

USER

本の表紙①のデザインで、空にタイトル文字が浮かんでいるデザイン②を改善したい。泣ける雰囲気が出るデザインのアイデアを教えて③ほしい。

ChatGPT

1. 色調の使用：タイトル文字が空に浮かんでいるとのことなので、色調は非常に重要になります。暗いブルーやパープル、クリーム色のような淡い色を使用すると、表紙に深みと感動を与えることができます。また、色のグラデーションや、雲を使って、空が日の出や日没を表現しているように見せると、感動的な雰囲気を作り出すことができます。

2. イメージの選択：タイトルが空に浮かんでいる場合、鳥や飛行機などのシルエットを追加すると、自由や遠くへの思いを表現できます。また、泣ける雰囲気を作るために、雨や雪、波などの自然現象を表現すると、感情的な状況を引き立てることができます。

現在制作しているデザインなどを改善したいとき、ChatGPT にデザインの改善案を聞くことができます。

「何をデザインしているのか」「現状、どのようなデザインにしているのか（目指しているのか）」「デザインの目的は何なのか」「どんな印象を持ってもらいたいのか」、などといった情報をできるだけ詳細に伝えましょう。テキストベースではありますが、デザインの改善案をいくつか出してくれます。

Next Step >> もっとよくする！

USER

シンプルかつラグジュアリーな雰囲気を強調するにはどうしたらよいか。

意図を伝える

アイデアの生成には、改善の意図を明確にすることが重要です。例えば「○○な雰囲気を持たせたい」「写真が際立つデザインにしたい」など、改善の意図を追加のプロンプトで伝えてみましょう。

AI

ChatGPT

1. モノトーンカラーパレット：シンプルなカラーパレットを選ぶことがポイントです。白、グレー、または黒などのモノトーンのカラーを使用することで、清潔感とミニマリズムを表現できます。また、金属の質感をイメージさせるシルバーやゴールドのアクセントカラーを取り入れることも考慮してください。

2. 上質なフォント：ラグジュアリーな雰囲気を作り出すために、シンプルで洗練されたフォントを選択してください。セリフフォントやカリグラフィーフォントなど、読みやすくて高級感のあるフォントを使用することで、プロフェッショナルな印象を与えます。

3. 高品質な画像：高解像度でクリアな画像を使用することは重要です。製品の写真や背景イメージなど、品質の高い画像を採用することで、サイト全体の品位やエレガントさを引き立てます。また、モノトーンの写真やモノクロ画像を使用することも、シンプルでラグジュアリーな雰囲気を醸し出すのに効果的です。

デザインの改善案
プロンプトのバリエーション例

似たデザイン案があれば教えてほしい。

カジュアルな雰囲気にする改善案がほしい。

+α 情報を共有する

デザインの改善案をもらうには、**現状のデザインについて多くの情報を共有する**ことが大事です。前提となる現状のデザインと、デザインの目的や現状の問題点、どのような印象を与えたいのか、ターゲット層はどのような人たちなのか、ということを言語化し、プロンプトで伝えましょう。デザインの意図を整理しておくことで、ChatGPTの活用はもちろん、他のデザインやクライアントへの説明の際に役立てることもできます。また、有料版ChatGPTなら画像を読み込ませることが可能であるため、現状のデザインを直接共有することができます。添付したうえでデザイン案を聞くと、ChatGPTからのアドバイスをもらえます。

活用術 27 デザインで使えそうな外国語のフレーズ案を考えてほしい

USER

本を紹介する動画のサムネイルのデザイン①に組み込むおしゃれな英語②テキストの一言フレーズを教えて③ほしい。

POINT

①デザインの用途を指定する。
②テキストの言語を指定する。
③フレーズの考案を指示する。

AI

ChatGPT

本を紹介する動画のサムネイル用に、
おしゃれな英語の一言フレーズをいくつか提案いたします：

1. Dive into Stories
2. Unlock Imagination
3. Journey in Pages
4. Words Come Alive
5. Escape the Ordinary
6. Read. Dream. Repeat.

おしゃれな**外国語のフレーズ**を組み込んだデザインのアイデアが出てこないとき、ChatGPTにアイデアを聞くと、**デザインで使えるフレーズ案をいくつか提示**してくれます。デザインを使用する場面だけを提示すると、それに関連するひとつの名詞だけがリストアップされる、という形式になる場合が多いようです。そこで、アイデアを聞く前に、関連する名詞の類語をChatGPTに出してもらい、そのあとに類語でのフレーズ案を聞く、という順序でもよいかもしれません。

外国語フレーズの考案
プロンプトのバリエーション例

パン屋のサイトデザインに使えるおしゃれなフランス語のフレーズ案を教えて。

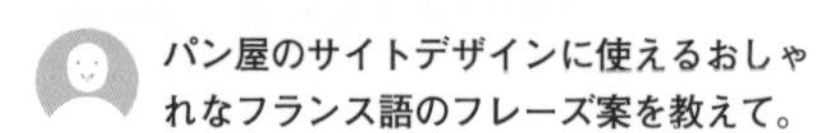

ビジネスパーソン向けの雑誌に使えそうな英語のフレーズを教えて。

活用術 28

WEBデザイン用のコードを作成してほしい

USER

WEBページ①上に「クリック」と書かれたシンプルなボタン②を表示したいときのコードを教えて③。

POINT
①媒体を指定する。
②表示したい内容を指定する。
③コードの作成を指示する。

ChatGPT

WEBページ上に「クリック」と書かれたシンプルなボタンを表示するためのHTMLとCSSの基本的なコードは以下の通りです。

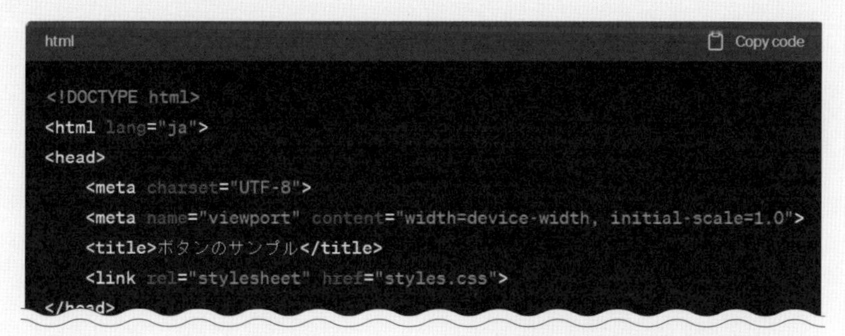

```html
<!DOCTYPE html>
<html lang="ja">
<head>
    <meta charset="UTF-8">
    <meta name="viewport" content="width=device-width, initial-scale=1.0">
    <title>ボタンのサンプル</title>
    <link rel="stylesheet" href="styles.css">
</head>
```

WEBデザインで**コーディング**が必要な場合にも、ChatGPTに手助けをしてもらうことができます。**表示したい内容を指定すれば、ChatGPTに必要なコードを作成してもらえます。**また、**コードはテキストをコピーできる形式で出力されるので便利です。**

さらに、「初心者にもわかるように教えて」などと伝えれば、知識があまりない人でも簡単にカスタマイズできるよう、コードの補足説明もしながら教えてくれます。

WEBデザインのコード作成プロンプトのバリエーション例

簡単なアンケートフォームのHTMLコードを作って。

要素に動きをつけたコードを書いて。

活用術

29 サイトマップを作ってほしい

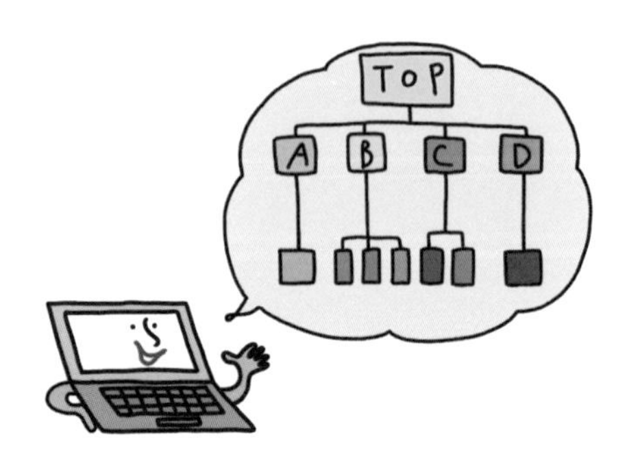

①作りたいサイトの概要を指定する。
②詳細まで作ってほしいと指定する。
③サイトマップの作成を指示する。

USER

展覧会の情報やスケジュールを載せるメディアサイト①の詳細な②サイトマップを作って③ほしい。

AI

ChatGPT

サイトマップ

1. ホーム
   サイトの紹介
   最新の展覧会情報のハイライト
   今後のスケジュールのプレビュー
2. 展覧会情報
   現在開催中の展覧会
   展覧会の詳細
   出展者情報
   作品のハイライト
   過去の展覧会アーカイブ
   年別、カテゴリ別での検索・閲覧
3. スケジュール
   月別、週別のスケジュール表示
   各展覧会の日時、場所、出展者情報へのリンク

4. 出展者情報
　出展者一覧
　各出展者のプロフィール、過去の展示作品、連絡先
5. ニュース＆アップデート
　展覧会の開催情報、変更情報
　出展者のインタビューや特集記事
6. チケット情報
　価格、購入方法
　オンラインでの予約・購入リンク
7. アクセス＆場所
　展覧会の開催場所の地図
　交通アクセス、駐車場情報（以下略）

WEBサイトを作るとき、サイト全体の構成や必要なコンテンツを把握するのに必要なのがサイトマップです。

よいWEBメディアといえるためには、**スムーズに欲しい情報にアクセスできる**、という条件があります。サイトマップ作成をChatGPTに任せることで、必要な要素や足りない要素を確認することができます。プロンプトでターゲットやサイトの目的を示すことで更に実用性の高いサイトマップを作成することができます。

サイトマップの作成
プロンプトのバリエーション例

サイトマップをテキストで図解化して。

サイトマップに○○という項目を足してほしい。

+α サイト設計を行う

スマートフォンでの閲覧を想定したサイトを作る場合、**コンパクトかつ必要な情報が掲載されており、直感的に情報へアクセスしやすい**サイトが理想的です。そのため、「スマートフォンでの閲覧を想定したサイト構造にして」という指示をすると、コンパクトな**サイトマップ**を作成してくれます。他にも、「20代向けに」というような指示でサイトのターゲットを指定することや、項目の指定、ページ内の項目のアイデアを聞くことができます。自分で他のサイトと比較したり、確認・修正を適宜行ったりすることで、さらにクオリティーの高いサイトを目指せます。

活用術30 WEBサイトのデザイン案を考えてほしい

USER

①20代をターゲットに、
②ストリート系の服を売るWEBサイトの
③デザイン案を考えてほしい。

POINT

① WEBサイトの意図やターゲットを指定する。
② 作成したいサイトの内容を指定する。
③ デザイン案の考案を指示する。

ChatGPT

1. カラフルなカラーパレット：ストリートファッションはカラフルでアーティスティックな要素があります。ウェブサイトのデザインにもその雰囲気を取り入れ、鮮やかなカラーパレットを使用しましょう。
2. フォント：フォントは、カジュアルで遊び心のあるものを選びましょう。
3. メニューとナビゲーション：シンプルなナビゲーションバーを採用し、カテゴリーや商品を見つけやすくします。
4. ソーシャルメディア連携：ターゲット層である20代は、SNSを頻繁に利用することが多いです。ウェブサイトにSNSのシェアボタンやリンクを設置して、ユーザーがサイトのコンテンツを簡単にシェアできるようにしましょう。

サイトのデザインや構成をChatGPTに考えてもらうこともできます。コンテンツのターゲットやブランディングの概要を伝えることで、それに適した**WEBデザインのアイデアを得る**ことができます。追加のプロンプトで**「モバイルフレンドリーなデザインにするためのアイデアを教えて」「サイトの構成を詳しく教えて」**と指示することで、デザイン案をさらに掘り下げて考えることができます。

サイトのデザイン考案
プロンプトのバリエーション例

主婦向けのサイトのデザインを考えてほしい。

動きのあるサイトのデザイン案を教えて。

活用術 31

WEBサイトに掲載するコンテンツのテキストを作成してほしい

USER

手作り雑貨の販売のサイト①に掲載する「よくある質問」と「その回答」②の例をいくつか③作成してほしい。

POINT
① WEBサイトの内容を指定する。
② 作成してほしいテキストの項目を指示する。
③ 複数案ほしいと指定する。

ChatGPT

Q：商品の色やサイズが写真と若干異なるのはなぜですか?
A：当社の製品はすべて手作りで、自然素材を使用しています。
そのため、色やサイズ、形状などに若干の個体差が出る場合があります。
これは手作りの魅力としてお楽しみいただければと思います。

Q：注文した商品が売り切れの場合、どうなりますか?
A：当社ではすべての商品を手作りで製作しており、売り切れの場合は新たに製作を行います。その際、製作には時間がかかることをご理解ください。
商品の再入荷時期については、個別にメールでご連絡いたします。

WEBサイトに掲載するコンテンツのテキストをChatGPTに作成してもらうことができます。WEBサイトの**内容**や**目的**、書いてほしい**項目**をプロンプトで指定しましょう。

ChatGPTに作成してもらったテキストをたたき台として利用すれば、効率が上がります。また、**「よくある質問集」**や**「利用案内」**を作成してもらうことで、思いつかなかったような項目に気づくことがあるでしょう。

WEBサイトのテキスト作成
プロンプトのバリエーション例

ギャラリーの利用案内を作成してほしい。

館内Wi-Fiの利用方法の下書きを作ってほしい。

活用術

32 キャラクターデザインのアイデアを出してほしい

POINT

①何をしたいのか、目的を伝える。
②アイデアの考案を指示する。
③現時点で決まっている情報を指定する。

USER

**オリジナルキャラクターのイラストを描きたい①ので、
見た目の特徴についてアイデアがほしい②。
決まっているのは名前が「もこまる」③ということ。**

ChatGPT

「もこまる」という名前からインスピレーションを受けて、
オリジナルキャラクターのイラストのための性格や見た目の特徴を提案します：

1. 毛皮：「もこまる」の名前から、ふわふわとした毛皮や羽毛を持つ動物、または生き物としてイメージします。たとえば、小さなふわふわとした動物、またはファンタジーの生き物のようなもの。
2. 色：柔らかいパステルカラー、特にライトブルーやピンクなどのカラー。
3. 目：大きくて丸い目。目の色はクリスタルブルーまたは明るいブラウン。
4. 尾：ふわふわとした長い尾。

キャラクターのイラストを描く際、そのキャラクターの見た目をデザインする必要があります。何かを**モチーフ**にしていたり、**エッセンス**を取り入れたりと、工夫を凝らす必要がありますが、難しいものです。

そんなとき、ChatGPTにアイデアを聞いてみましょう。キャラクター名など決まっている情報を伝えると、そこから**イメージを膨らませてアイデアを出力**してくれます。デザインのヒントになる要素が見つかるかもしれません。

Next Step >> もっと活用する！

USER
もこまるのちょっとしたエピソードを作って。

エピソードをつけてみる

もこまるのイメージカットをイラストで表現するために、ちょっとしたエピソードをつけてもらいましょう。

AI ChatGPT
「もこまる」のためのエピソードを3つ提案します：

1. ふわふわの発見
森で輝く綿毛を見つけたもこまる。
好奇心旺盛なもこまるは、その綿毛に触れてみると、空高く舞い上がってしまいます。風に乗って空を飛び、新しい場所を探検します。

2. ドジなお茶会
もこまるは森の中のクリアな池で、新しい友達とお茶会を開くことにしました。
しかし、ちょっとした不注意で、ティーカップを池に落としてしまいます。
水面には色とりどりの花びらが浮かび、それを見たもこまるは、
ドジをおかしたことを忘れて花びらの美しさに夢中になります。

これらのエピソードは、もこまるの性格や特徴を活かした物語となっています。
イラストを描く際の参考やインスピレーションとしてご活用ください。

キャラクターデザインの考案プロンプトのバリエーション例

「○○」をモチーフとしたキャラクターデザイン案を出してほしい。

性格が正反対な2人のキャラクターデザイン案を出してほしい。

+α キャラデザを画像で出力する

上記の例のように、**キャラクターデザイン**のアイデアだけでなく、キャラクターにまつわるエピソードも設定してくれます。何度か壁打ちを繰り返せば、キャラクターのプロフィールも決まっていくでしょう。

そして、ある程度のキャラクター像が浮かんだら、**画像生成AIによってキャラクターデザインの出力をしてもらう**こともできます。ChatGPTが出力したキャラクターデザインの案をもとにプロンプトを作成し、さまざまな画像生成AIで出力してみるとおもしろいかもしれません。P.86～89で紹介しているAIツールやプラグインのほかにも、たくさんのツールがありますから、試してみましょう。

もちろん、それを使うか使わないかは自由ですが、アイデアの取っ掛かりとして参考にしてみてください。

活用術33 イラストに必要な要素を出してほしい

POINT

①イラストを描くことを伝える。
②必要な要素の考案を指示する。
③イラストの目的や内容を明示する。

USER

次のイラストを描く①際に、必要な要素を教えて②ほしい。：

③
目的：キャンプ道具の販促
イラストの内容：ソロキャンプを楽しむ男性

ChatGPT

キャンプ道具の販促を目的とした「ソロキャンプを楽しむ男性」のイラストを描く際に考慮すべき要素を以下に示します。

1. 男性キャラクター
   - ・表情：楽しんでいる、リラックスしている様子。
   - ・服装：キャンプに適したアウトドアウェア。
     例：フリースやダウンジャケット、ハイキングシューズなど。
   - ・アクセサリー：キャップ、サングラス、リュックなど。
2. キャンプ道具
   - ・テント：ソロキャンプ用の小型テント。
   - ・キャンプストーブや焚き火：料理をしている様子。
   - ・キャンプチェア：リラックスして座っている様子。
   - ・キャンプランタンやヘッドランプ：夜のシーンを想像する場合。
   - ・クッキングセット：鍋、フライパン、食器など。
   - ・寝袋：テントの中や外に展開している様子。

3. 背景
  ・自然の風景：森、湖、山など、キャンプのシーンに合った背景。
  ・昼夜：キャンプの雰囲気を変えるため、昼夜のシーンを選ぶことができます。
  ・天気：晴れ、曇り、星空など、異なる天気でのキャンプの雰囲気を表現。
4. アクション/ポーズ
  ・料理をする、本を読む、焚き火を囲む、星を見上げるなど、
   キャンプでのリラックスした時間を楽しむ様子。
5. 色彩
  ・自然の色：緑の木々、青い空や湖、焚き火のオレンジなど、
   自然の色を強調してキャンプの雰囲気を出す。
  ・道具の色：キャンプ道具のブランドや特徴に合わせた色を使用。(以下略)

イラストを描く際、何かの資料を参考にすることがあるでしょう。**「知っているけれど、体験したことはない」ものを描くときは、「何を描いたらよいのかわからない」ことも多い**と思います。そんなとき、ChatGPTが資料代わりになります。

イラストの目的や内容をプロンプトに入力すると、その**イラストに必要な要素**を教えてくれます。また、なぜその要素が必要なのかを簡単に教えてくれて便利です。

イラストの要素出し
プロンプトのバリエーション例

子育て世代を対象にした、子どものイラストに必要な要素とは?

海のイラストを描く際に必要な要素と適した画材を教えて。

+α 画材の使い方を聞いてみる

イラストの内容が決まったら、その**イラストを描くのに最適な画材を聞いてみましょう**。そして、画材の特性からどのように使えばよいのか、ポイントや注意点も教えてくれます。

例えば、「**コピックやプロマーカーを使う際のポイントや注意点を教えて**」と入力すると、「ポイント：色の混ぜ合わせ、滑らかな塗り、グラデーション細部の描写、注意点：ペーパーの選択、キャップの密閉、長時間の使用、直射日光、補充インク、マーカーの角度」と出力されます。

ポイントにある「色の混ぜ合わせ」については、「アルコールベースのマーカーは、色を重ねて混ぜ合わせることが容易です。色の層を重ねることで、中間の色を作ることができます」と教えてくれるため、持ち合わせている色の使い方や画材を買う際にも参考になるでしょう。

注意点にある「ペーパーの選択」については、「**コピックやプロマーカーはインクが濃厚なため、一般的な紙に使用すると裏抜けすることがあります。専用のマーカーペーパーや厚手のスケッチブックを使用するとよいでしょう**」と教えてくれます。これにより、ペーパーの選び方もわかります。

活用術

34 ChatGPT上で画像生成してほしい①

POINT

▶「DALL・E 3」を選択する。
①画像の生成を指示する。
②生成したい画像の内容やテイストを指定する。

USER

次のイラストを描いて①ほしい。通学中の高校生の女の子のイラストで、タッチはアニメ調②。

AI

ChatGPT
DALL・E 3
Created 4 images

アニメ調の通学中の高校生の女の子のイラストをご提供いたしました。
どのイラストがお気に召しましたか？　他にご要望や質問があれば、お知らせください。

有料版では、OpenAIが開発した画像生成ツールである「**DALL・E（ダリ）3**」の機能をオンにすれば、**ChatGPT上で画像生成もできるようになりました。**通常のChatGPTと同様に**日本語で指示すれば、一度に4枚の画像を生成してくれます。**「Regenerate」ボタンをクリックすれば、同じ内容で何度も再出力することができます。また、さらにブラッシュアップしたい場合には、「4枚目のイラストを笑顔に変えて。」などと指示すれば、**もとのイラストをベースに、さらに変更を加えることができます。**

また、暴力的、成人向けコンテンツを生成する能力の制限や、生きているアーティストのスタイルのイメージを求めるリクエストを拒否するなどの設計がなされています。

+α ChatGPTで生成した画像の権利は？

とても便利な**画像生成機能**ですが、**画像の権利**はどのようになっているのでしょうか。

開発元であるOpenAIの公式ページでは、「**DALL・E 3で作成した画像はお客様が使用するものであり、転載、販売、商品化する場合に当社の許可は必要ありません。**」としています。OpenAIのQ&Aでも、「DALL・Eで作成した画像を販売することはできますか?」という質問に対し、「**コンテンツポリシーと利用規約に従い、画像が無料クレジットで生成されたか有料クレジットで生成されたかに関係なく、DALL・E 3で作成した作成した画像は転載、販売、商品化する権利を含め、お客様の所有となります。**」と記載しています（2023年9月現在）。

ただし、コンテンツポリシー上では、「**あなたの作品を共有するときは、あなたの作品へのAIの関与を積極的に開示することをお勧めします。**」などいくつかの注意点も記載しています。

なお、AIによる画像生成は、学習させたデータから情報を組み合わせることによって生成しているという性質上、学習データに誰かの著作物が含まれる場合は、それらの情報を踏まえて生成してしまう、という点も議論になっています。また、既存の著作物と偶然そっくりな作品が生成されることもありえます。画像生成に関する法整備についても今後見直されていく可能性があるので、生成した画像の使用にあたっては、十分に注意するようにしましょう。

活用術

35 ChatGPT上で画像生成してほしい②

POINT

▶プラグイン「Argil AI」を選択する。
①画像の生成を指示する。
②イラストの条件を加える。

USER

次の画像を生成して①ほしい。：山の風景。天気は快晴②。

ChatGPT

快晴の日の山の風景の画像を生成しました。
以下のリンクから画像をご覧いただけます。

上記のプロンプトでプラグイン「Argil AI」によって生成された画像。

プラグイン「Argil AI」を利用することでも**ChatGPTで画像生成が可能**になります。使い方は簡単で、**プロンプトにイメージする画像の単語や文章を入れるだけ**。指示も日本語でOKです。ただし、一度にたくさんの条件を含めた指示を出しても結果は期待できません。できるだけシンプルなプロンプトで試しましょう。

Next Step >> もっと活用する！

USER
I would like an image of the moon and a cat in a fantasy style.

AI ChatGPT
Here's an AI-generated image of the moon and a cat in a fantasy style:

[Click here to view the image]

Discover innovative plugins by searching for "MixerBox" in the plugin store!
Combine MixerBox's plugins for a more convenient life!
Don't miss out on our "MixerBox WebSearchG" plugin!
It lets you browse the internet effortlessly within the ChatGPT interface!
For more information, visit the website of MixerBox's plugins: link.

ほかのプラグインを試す

画像生成できるプラグインはArgil AIのほかにもあります。思うような出力が望めなければ、プラグイン「MixerBox ImageGen」を利用してみましょう。イラストテイストの画像を生成できます。

上記のプロンプトでプラグイン「MixerBox ImageGen」によって生成された画像。

+α 英語でプロンプトを入力しよう

本節で紹介したプラグインを利用して**画像生成**する場合、プロンプトは**日本語よりも英語で指示を出すと、より具体的な状況が描かれた画像を生成できる可能性が高くなります。**

生成した画像をイメージカットとしてそのまま使用したいときや、より求めている理想に近づけたいときには英語で指示しましょう。このとき、簡単な英語で大丈夫です。「**プールで遊ぶ犬**」**であれば**「**dog playing in the pool**」で問題ありません。ChatGPTにプロンプトを英訳してもらてから指示してもよいでしょう。

また、追加のプロンプトを一言足して画像を生成し直すこともできます。例えば「more realistic（もっとリアルな描写に）」、「Add one more dog（犬をもう1匹増やして）」などと設定を重ねていくことで、より理想に近い画像生成ができるかもしれません。

また、英語ならある程度長い文章でも希望に近い画像生成が可能です。「Two people are looking at a computer and communicating on the internet」のように、雰囲気や場面の設定を細かくしたプロンプトで試してみましょう。

活用術

36 画像を文章化してほしい

POINT

▶ プラグイン「SceneXplain」を選択する。

①画像の特徴を説明するよう指示する。

②画像のURLを指定する。

USER

次の画像について特徴を説明してほしい。：

② [画像URL]

プラグイン「SceneXplain」で画像の特徴を説明してもらうために送った画像。画像をURL化するには、クラウドサービスや画像のURL変換サイトなどを利用しよう。

AI

ChatGPT

この画像は、緑豊かな自然に囲まれた壮大な滝を中心にした風景を描いています。
滝は高い岩山から優雅に流れ落ち、水は周囲の風景を流れる美しい小川を形成しています。
滝は画像の中心部を占め、その上からの落下が美しく描かれています。
この滝は、鮮やかな森に囲まれた静寂感と自然の美しさを感じさせる魅力的な光景です。
濃いエメラルドグリーンから鮮やかなライムグリーンに至るまでの森の色合いが、
全体の静けさを強調しています。

Next Step » もっと活用する！

USER
要約して、英語に翻訳して。

文章をプロンプトにする

画像の説明文を、さまざまな画像生成AIで利用できるプロンプトにしましょう。「要約して」「英語にして」「画像生成に必要なワードを抽出して」などと、AIツールに合わせた指示を出します。

ChatGPT
以前の日本語の説明をもとに、英語の要約を作成いたします。

The image presents a magnificent waterfall set within a verdant forest.
The waterfall gracefully cascades from a high cliff,
forming a picturesque stream that meanders through the landscape.
Amidst this stunning backdrop,
an adventure-seeking man is seen riding a wave on a rocky cliff,
showcasing his daring spirit.
Additionally, another man is captured flying a vibrant kite,
adding a touch of excitement and freedom to the serene environment.
The combination of nature's beauty and human activity creates
a harmonious and captivating scene.

プラグイン「**SceneXplain**」を利用して画像のURLをプロンプトに入力すると、その**画像の内容について文章で説明**してくれます。そして、生成されたテキストを画像生成AIのプロンプトとして利用すれば、よりイメージに近いオリジナル画像を生成することが可能です。

また、有料版のChatGPTでは画像認識もできるようになったため、**プラグインを使わずに、画像を直接プロンプトに添付して、特徴を文章化してもらうこともできます。**

+α 複数のプラグインを同時に利用する

有料版ChatGPTでは、プラグインを使用して機能を拡張することができます。さらにプラグインは同時に3つまでを使用できるため、組み合わせ次第で新たな使い方を生み出せるのです。

ここで紹介したプラグイン「**SceneXplain**」は画像の内容を言語化してくれます。このプラグインと、画像生成AI「**Midjourney**」のプロンプトを作成するプラグイン「**Photorealistic**」を組み合わせれば、さらに**効率的にプロンプトを作成**できるのです。

Photorealisticは、ただ単語や文章テキストを生成するだけではなく、カメラ設定の用語などを付け加えてくれるもの。Midjourneyではその用語を踏まえた画像生成を行えますが、用語を削除すればほかのAIツールでも使用できます。

2つのプラグインをオンにした状態で、プロンプトに画像のURLを入力します。すると、SceneXplainで画像の内容を解析し、その画像に似た画像が生成されるよう、Photorealisticでプロンプトを2パターン作成してくれます。

こうした使い方をすれば、画像の内容を説明してもらったあとで「英語にして」などとプロンプトを追加せずに済み、さらに効率がアップします。

活用術

37 Stable Diffusionで画像生成するためのプロンプトを作成してほしい

① 画像生成用のプロンプト作成を指示する。
② Stable Diffusionのプロンプトに合うよう指示する。
③ 生成したい画像の内容を指定する。

USER

AIで画像生成するためのプロンプトを作成して①ほしい。以下のイラストの要素を、重要な順に、短い英語でカンマで区切りながら並べて②。:

③ 窓辺にいる少女。少女はほほえんでおり、金髪で、白いドレスを着ている。アニメ調に。高品質のイラスト。

ChatGPT

以下のようにプロンプトを作成しました:

"Anime-style girl, golden hair, white dress, smiling, by the window, high-quality illustration."

画像生成AIとして有名なツールのひとつに「Stable Diffusion」(https://ja.stability.ai/stable-diffusion)があります。**イメージする画像の特徴をテキストで指示すると、画像を生成してくれるAIツールです。**Stable Diffusionはオープンソースで公開されており、インストールしてローカル環境で稼働させる方法や、Stable Diffusionを搭載しているWEBサービスを利用するなどの方法があります。初心者でも利用しやすいのは後者で、「DreamStudio」(https://beta.dreamstudio.ai)「Stable Diffusion Online」(https://stablediffusionweb.com)、「Mage.space」(https://www.mage.space)など無料で試せるサービスがいくつもあります。**日本語に対応していない場合も多いため、ChatGPTを活用して画像生成用のプロンプトを作ってもらうとよいでしょう。**

また、もっと手軽に試したい場合には、LINEで画像生成ができる「**AIイラストくん**」(https://picon-inc.com/ai-illust) もおすすめです。AIイラストくんには、Stable DiffusionとChatGPTの技術が用いられているため、簡単な日本語の指示で画像生成をすることが可能です。

ChatGPTからの回答をもとに「Stable Diffusion Online」で画像生成した例。

ChatGPTからの回答をもとに「DreamStudio」で画像生成した例。

「AIイラストくん」で画像生成した例。日本語で「窓辺でほほえむ少女。少女は金髪。白いドレスを着ていて、本を読んでいる。」と入力して生成。なお、AIイラストくんは、無料プランでは1日3枚までと生成枚数に上限がある。

+α 画像生成AIの商用利用

画像生成AIで生成した画像の取り扱いはツールによって異なりますが、ここで紹介した「**Stable Diffusion**」は、「ユーザーが出力した画像について、**Stable Diffusionは権利を主張せず、ユーザーが自由に使用することができる**」としています。ただし、他人に危害を加えるような場合や、商用利用不可の画像やモデルを読み込ませた場合などを除きます。

Stable Diffusionを搭載している「**AIイラストくん**」は、公式サイトのQ&Aにて、「**作成した画像のアイコン利用や商用利用はできますか?**」という質問に対し、「**可能です。ただし、利用規約をよくお読みの上で、自己責任でご利用ください。なお、当社のクレジットの記載は不要です。**」としています。

また、同じく画像生成AIとして有名な「**Midjourney**」は、**商用利用は有料プランに加入している場合と限られています**。

このように、多くの場合で商用利用が可能ですが、P.87で解説したとおり、利用規約の変更や偶然の類似もありえるため、十分に注意をしながら利用するとよいでしょう。

活用術
38 Midjourneyで画像生成するためのプロンプトを作成してほしい

USER

次のテーマで写実的な画像を生成するプロンプトを作成して①。

②［テーマ：宇宙探査機に乗る猫

POINT

▶プラグイン「Photorealistic」を選択する。
①画像生成プロンプトの作成を指示する。
②イラストのテーマを明示する。

AI

ChatGPT

A curious cat aboard a space exploration vessel,
gazing out into the vastness of the universe.
Content: A sleek, futuristic space exploration ship
with a large observation window.
Perched on the dashboard, a feline astronaut with a shimmering spacesuit,
its eyes wide with wonder as it looks out at distant stars and galaxies.
Medium: Photorealistic digital art.
Style: A blend of modern space technology with a touch of whimsy,
reminiscent of sci-fi classics.

プラグイン「Photorealistic」は画像生成AIの「Midjourney」のプロンプトを生成してくれます。プロンプト例ではイラストのテーマや条件を指示していますが、**イメージする単語を2つ〜3つ入れるだけでも詳細なプロンプトの生成が可能です。**

どの言語で指示しても、出力される結果は英語であることが多いです。**ChatGPTへの指示は日本語で問題ありません。**出力はそのままコピーして画像生成AIに指示することができます。

画像生成AIの
プロンプトのバリエーション例

野原、蝶、虹

真っ直ぐこちらを見つめる少女、背景は夜の渋谷の画像。

活用術

39 GIFを作成してほしい

USER

[image.zip]①

このフォルダ内の画像を用いてGIFを作成して②ほしい。「nami_1.jpg」と「nami_2.jpg」を交互に2秒ずつ表示してください。

POINT
- ▶「Advanced Data Analysis」を選択する。
- ①画像が格納されたzipファイルを添付する。
- ② GIFの作成を指示する。

AI

ChatGPT

GIFの作成が完了しました。以下のリンクからダウンロードできます。

[combined.gifをダウンロード]

→

「Advanced Data Analysis」を利用すれば、複数の画像からGIF（アニメーション）を作成することができます。

Advanced Data Analysisをオンにした状態で、複数枚の画像をまとめた圧縮ファイルをプロンプトに添付します。プロンプトの左端にある「＋」マークをクリックするとファイルの添付ができます。そして、ファイル名と画像の表示秒数、GIF作成の指示を出せば、それらの画像を使ってGIFを作成してくれます。

Column 2

コンテンツの素材を作ってもらう

素材を素早く集めよう

WEBサイトなどの制作においては、そこに掲載するコンテンツの文章や画像などの素材が必要不可欠です。しかし、内容が多い場合は、素材を作成したり、集めたりするだけでも一苦労します。特にデザイン段階の仮の素材であれば、手っ取り早く素材を用意したいものです。そこで、コンテンツの素材をChatGPTに作ってもらいましょう。

テキスト素材であれば、これまで解説してきたように、制作中のサイトや作成してほしい文章について具体的に説明します。サイトの目的は何なのか、サイトの名称は何なのか、ターゲットは誰か、ほかのサイトと差別化していることは何か、サイトの雰囲気はどのようなものか、作成したい文章はどのような内容か、文字数はどれくらいか、そこに込めたいメッセージは何なのか—。できるだけ細かく指定していくことがポイントです。ChatGPTは短い時間で文章を作成してくれるため、作業効率が各段にアップするでしょう。

また、制作中のサイトについて一度設定すれば、その設定を記憶してくれます。最初に細かく設定できれば、あとはどんな内容の文章かをプロンプトに追加していくだけで、そのサイト用の文章が生成されていくのです。最初は少し手間がかかるかもしれませんが、最初にきっちり設定できるか、できないかがあとの出力に大きく関わってくるでしょう。

テキスト以外の素材を用意する

また、テキスト以外の素材を用意することも可能です。基本的にChatGPTは自然言語処理技術のあるAIツールのため、それ以外のことはできませんが、有料版では、画像生成や、プラグインを利用した多様な素材作成が可能です。P.86で紹介した「DALL・E 3」を使った画像生成は、スマホアプリ版でも利用することができるので、手軽に画像素材を作成することができます。

無料版の場合にも、外部の画像生成ツールである「Stable Diffusion」や「Midjourney」を利用する際に、ChatGPTにプロンプト作成を手伝ってもらうことで、効率を上げることができます。

音声はプラグインでも生成可能です。P.143で解説しているプラグイン「ABC Music Notation」などを利用して生成できます。

求める素材を一から探したり作ったりする前に、ChatGPTをはじめとするAIツールを利用して作成できないか、まずは試してみましょう。

Chapter 3

物語創作・シナリオのための活用術

活用術

40 物語の題材を提案してほしい

POINT

①ジャンルを指定する。
②題材案の考案を指示する。
③複数案ほしいと指定する。

USER

転生もののファンタジー小説①の題材案②をいくつか③挙げてほしい。

ChatGPT

転生もののファンタジー小説は、主人公が異世界や過去、
または全く異なる存在として転生するという設定を基本にしています。
それに基づいて、いくつかの題材案を考えてみます。

1. 異世界転生の冒険者：主人公は現代の世界での生活に飽き飽きしているが、突如として異世界に転生する。新しい世界では、主人公が冒険者として力を示し、様々なクエストを達成しながら、この世界の謎を解明する。
2. 過去への転生：主人公は歴史の重要な時期に転生し、その時代の重要な人物となる。主人公は歴史を変える力を持ち、歴史の流れを変える決断を迫られる。
3. 動物への転生：主人公は特定の動物（例：ドラゴンやフェニックスなど）として転生し、新しい力と能力を使いこなす。人間と動物の視点を交互に描くことで、世界を探索し、異なる種族や文化と交流する。
4. 悪役キャラクターとしての転生：主人公は物語やゲームの悪役キャラクターとして転生し、物語の結末を変えるために奮闘する。

Next Step >> もっとよくする！

USER

「会社員」との意外な題材の組み合わせを考えて。

ChatGPT

「会社員」という日常的な要素を取り入れた上で、意外性のある転生モノの題材を考えます。

1. 宇宙の商社マン：会社員が宇宙の異星人として転生。銀河間の取引や交渉を通じて、ビジネスの成功を目指す。
2. 幻想の森のオフィスワーカー：会社員が魔法の森の妖精として転生。森の生態系を保護しながら、異種族との共同プロジェクトを進める。
3. 海底の経理士：会社員が深海のマーメイドとして転生。海の王国の財政を立て直すため、様々な海洋生物と協力。
4. 中世のスタートアップ：会社員が中世の発明家として転生。当時の技術を駆使して、革命的な商品を市場に投入。

組み合わせを考えてもらう

あらかじめ題材を設定し、それにマッチする題材案をもらうことで、新たな視点が生まれるかもしれません。例えば「○○にマッチする題材案を出して」などと指示を出してみましょう。

「物語を考える」という機会は、作家、脚本家、漫画家、シナリオライターなどあらゆるクリエイターにとって必須でしょう。その物語の題材やテーマを考えるときにも、ChatGPTが役に立つかもしれません。

物語の根幹となる題材やテーマから考え始める場合も多いでしょう。**ChatGPTと何度か壁打ちしつつ、アイデアを形にしていきましょう。**

物語の題材考案
プロンプトのバリエーション例

既成概念を覆すようなラブストーリーの題材案を出してほしい。

地球温暖化をコメディタッチで描くのによい題材案を出してほしい。

+α インスピレーションの源として考える

新しい「何かを」追い求めても、どうしても過去作品に思考が引っ張られてしまうことは往々にしてあるでしょう。そして**アイデア**が行き詰まってしまうことも考えられます。

そんなとき、ChatGPTを**ブレストの場**として活用し、とりあえずのアイデア出しをしてもらってもよいでしょう。**手数がほしいときは、指定するアイデアの個数を多くすることも手です。**引っかかった題材やおもしろそうなテーマをもらえたら、「この方向でもっと案を出して」「これに○○の要素を加えて」などと、ブラッシュアップしていくとよいでしょう。

活用術

41 小説のタイトルを考えてほしい

POINT

①小説タイトルの考案を指示する。
②複数案ほしいと指定する。
③加えたい条件を指定する。

USER

小説のタイトル案を、いくつか考えてほしい。
テーマはヒューマンミステリーで、
海に関する単語をひとつ入れてほしい。

ChatGPT

以下に、海に関する単語を入れたヒューマンミステリー小説のタイトル案を提案します。:

1. 「深海の追憶」
2. 「海辺の幻影」
3. 「潮風の迷路」
4. 「海流の迷宮」
5. 「波間の訪問者」

このタイトル案が新しいアイデアを呼び起こすきっかけになれば幸いです。

より多くの人に知ってもらうきっかけとして、小説のタイトルはとても大事なものです。そこで、ChatGPTをブレスト役として、まずはたくさんのアイデアを並べてみるとよいでしょう。

その小説が**どんな内容なのか、ジャンルは何なのか、使いたい単語はあるか**、などの情報を与えつつ、アイデアをもらいましょう。

Next Step >> もっとよくする！

✧ 長めのタイトルにしてみる

最初の出力では、2つの単語が組み合わされるものが多いです。続いては「少し長めのタイトルにして」と指示を出してみましょう。

USER
2番の案の方向で、少し長めのタイトルを考えて。

AI
ChatGPT
了解しました。「海辺の幻影」というタイトルを参考にして、少し長めのヒューマンミステリーの小説のタイトルを考えますね。以下は提案のタイトルです：

1. 「海辺の夜明けに消えた影：謎の消失事件」
2. 「波打ち際の秘密：月夜の幻影と消える人々」
3. 「沈黙の海岸：彼女の幻影と追いかける真実」
4. 「漂流する思い出：海辺の古い家と夜の幻影」
5. 「潮騒の中の囁き：海の神秘と幻影の謎」
6. 「夕焼けの海辺での出会い：幻影と現実の境界」
7. 「深海の秘密：月明かりの下で舞う幻影の物語」

いかがでしょうか。これらのタイトルの中からお気に入りを選んで、またはインスピレーションとしてお使いいただければと思います。

タイトル考案
プロンプトのバリエーション例

体言止め以外の表現を使ったタイトルにしてほしい。

最後の1ページを読んでタイトルを考えてほしい。

+α サブタイトルをつけてみる

メインとなるタイトル以外にも、**サブタイトル**や**シリーズタイトル**などさまざまな形態があります。メインタイトルが決まらないときは、そうした周辺的なタイトルから考えてみるのもひとつの手です。周辺的なタイトルについてもChatGPTに案を出してもらいましょう。

また、**作品のジャンルやターゲットによっても、タイトルのテイストや長さはさまざま**です。純文学風のタイトルなのか、ライトノベル風のタイトルなのかといった**小説のジャンルや物語のインスピレーションとなったきっかけの作品・事柄、タイトルの雰囲気を参考にしたい作品**などがあれば、そうした情報もChatGPTに伝えると、よりよい出力を期待できます。

活用術 42 作品のキャッチコピーを考えてほしい

USER

次の小説のキャッチコピー①を5つ②考えてほしい。:

③ 主人公のリカは、都会で働く独身アラサー。仕事にも恋にも疲れていたある日、たまたま立ち寄った公園で、捨て猫を拾う。実はその猫は、人間の言葉を話せる猫だった！　まるで彼氏のように振る舞う猫に、リカは癒されていく。猫とOLのちょっとふしぎな二人暮らしコメディ。

POINT

①小説のキャッチコピー考案を指示する。
②個数を指定する。
③小説の内容を明示する。

ChatGPT

以下のようなキャッチコピーを考えてみました：

1. 「人間の言葉を話す猫とアラサーOLの、ちょっと不思議で甘い共同生活が始まる！」
2. 「彼氏になったのは…猫!?　アラサーOLの心温まる奇妙な日常！」
3. 「猫の言葉、人間の心。予想外のコンビが織りなす、笑顔溢れる物語。」
4. 「都会の真ん中で見つけた、一風変わった愛のカタチ。」
5. 「独身、疲れて、でも…猫に恋をした!?　新感覚、ふしぎな日常コメディ。」

小説やシナリオ、漫画やゲームなどのキャッチコピーは一言でその作品への期待感や魅力を引き出すフレーズで、本の帯や広告などでよく使用されています。ChatGPTに物語の概要を与えて「**キャッチコピーを考えてほしい**」と指示すると、概要に沿ったキャッチコピーを生成してくれます。使いたい言葉や語調を指定したり、「もっと派手に」「わかりやすく」など追加のプロンプトを入力したりして、微調整を行うことも可能です。

キャッチコピー考案
プロンプトのバリエーション例

「過去最大級！」に続くキャッチコピーを考えてほしい。

女性ウケする言葉を使ってキャッチコピーを考えてほしい。

活用術43 物語を書くときに参考になる作品を教えてほしい

USER

ミステリー小説①を書く際、
プロットの参考②になる作家や作品を挙げて③ほしい。

POINT
①創作したいジャンル、媒体を指定する。
②どこを参考にするか指定する。
③作家や作品を挙げてほしいと指示する。

AI ChatGPT

ミステリー小説を書く際に参考になる作家やおすすめの作品はたくさんあります。
以下にいくつかの作家と作品を挙げてみます。各作家はミステリー小説の巨匠であり、
その作品は緻密なプロットと興味深いキャラクターで読者を魅了しています。

1. アガサ・クリスティ（Agatha Christie）：
   代表作：『そして誰もいなくなった』、『オリエント急行殺人事件』など
2. アーサー・コナン・ドイル（Arthur Conan Doyle）：
   代表作：『四つの署名』、『バスカヴィル家の犬』など
3. レイモンド・チャンドラー（Raymond Chandler）：
   代表作：『長いお別れ』、『大いなる眠り』など
4. 東野圭吾
   代表作：『容疑者Xの献身』、『白夜行』、『秘密』など

これらの作家や作品は、ミステリーのプロット作成の参考に非常に有用です。それぞれの作家の特色やプロットの構築方法を学ぶことで、自分の作品に役立てることができます。

小説やシナリオをはじめ、さまざまな創作物のシナリオの参考になりそうな作品をChatGPTに教えてもらうこともできます。**ジャンルと媒体の指定をすることで、同じジャンル・媒体の作品を挙げてくれます。**ほかにも、「日本人作家で」「ここ50年で発表された作品で」など、詳細な指定をすることも効果的です。ただし、必ずしも正しい情報が出力されるとは限らないことに注意しましょう。

活用術

44 物語のプロットを考えてほしい

①作品の題材やコンセプトを指定する。
②作品の媒体を指定する。
③プロットの考案を指示する。

USER

海を題材にした①
小説②のプロットを考えて③ほしい。

AI

ChatGPT

タイトル:「海のメロディ」

プロット:
孤独な島に住む青年、カイトは過去の悲しい出来事から心を閉ざし、孤立していました。
彼は島を取り巻く美しい海を眺めることしか楽しみがありませんでした。
ある日、カイトは遭難した船から倒れている女性を発見し、救助します。
彼女の名はミライで、記憶を失っていました。
カイトはミライを介抱し、少しずつ心を開いていきます。

2人は共に海を楽しむ中で、次第に心の距離を縮めていきます。
やがて、ミライの過去に関する手がかりを見つけるため、
カイトは島を離れる決意をしますが、それによって彼女の記憶が戻ることを恐れています。
船に乗り込む日、カイトは過去のトラウマと向き合い、自分自身を許す勇気を持ちます。

一方、ミライは記憶を取り戻すことで辛い過去に立ち向かう覚悟をします。
2人は途中で嵐に見舞われ、絶体絶命の危機に直面しますが、

お互いを支え合いながら乗り越えます。

やがて、2人は海の中に沈んでいた大切な宝物を見つけます。
その宝物は彼らの過去と未来を繋ぐ鍵でした。カイトとミライは互いの過去を知り、
理解し、受け入れながら、新たなる未来に向けて手を取り合います。
そして、彼らの心には海の奏でるメロディが響き渡ります。

この物語は、愛と癒しを見つけるために海を舞台にした、感動的な冒険と成長の物語です。

いきなり物語の執筆を始めるのではなく、多くの場合、まずは物語の骨組みとなるプロットの作成が必要となるでしょう。

希望する条件をChatGPTに与えて「**プロットを作成してほしい**」と指示すれば、それに沿ったプロットを作成してくれます。ChatGPTが出力するプロットやあらすじは、**起承転結がはっきりしているものが多いのが特徴です。**プロンプトにもう少し細かい世界観の設定を書き込んだり、物語の始まりや終わりのみを書いて、そこから全体像を考えてもらうという活用方法もあります。

また、構成を整理しやすくするために**箇条書きのプロットにしてもらうこともできます。**

プロット・あらすじ考案
プロンプトのバリエーション例

このプロットを3章構成に分けて、1章のプロットをより細かく考えてほしい。

以下のキャラクターが登場する学園ラブコメのあらすじを考えてほしい。

+α 壁打ちしながら詳細を決めていく

追加のプロンプトで、**出力されたプロットをさらに掘り下げてみましょう。**プロットを読み進めていて気になったシーンについて、「このシーンをもう少し細かく描写して」「このシーンには物語全体においてどのような意味がありますか?」といった**追加の指示や質問を繰り返すことで、物語全体の構成をより具体的に肉づけしていくことができます。**

さらに、設定について掘り下げることも重要です。登場人物の名前や性格、見た目の特徴、舞台になりそうな場所のアイデアを聞くなど、物語の詳細を詰めていくことによって、さらにプロットに奥行きを持たせることができるでしょう。

この活用法は、**自分ですでに作成したプロットをさらに掘り下げたいとき**にもおすすめです。

また、ある程度長いテキスト素材を読み込ませたいときは、「**Advanced Data Analysis**」(P.21)を利用してテキストファイルなどを読み込ませ、それを踏まえたプロットを出力してもらうと便利です。

活用術

45 指定したシーンを執筆してほしい

POINT

①役割を指定する。
②文章の執筆を指示する。
③あらすじなどを明示する。

USER

あなたはプロの小説家①です。次の小説の冒頭シーンを書いて②。:

③主人公が不思議な鏡の謎を解き明かすファンタジー小説。主人公の高校生・マヤの家には代々伝わる鏡があり、不思議な力を持っている。突然現れた謎の少年との出会いや、次々と起こる奇妙な事件をきっかけに、鏡の謎が明かされていく。

AI

ChatGPT

夜明け前の静寂が街を包んでいた。マヤの家の古い屋敷も例外ではなく、月明かりだけが静かな時間を照らしていた。しかし、マヤの心は静かではなかった。夢から覚めた直後の心臓の高鳴りがまだ響いている。夢の中で見た、その奇妙な光景が彼女の心をとらえて離さなかった。

彼女はベッドから抜け出し、薄暗い廊下を歩きながら、家の奥にある特別な部屋に向かった。そこには代々伝わる、不思議な鏡が置かれていた。その鏡は家族にとっては宝物であり、同時に禁断のものでもあった。その鏡には何世代にもわたる秘密が隠されていると言われていた。しかし、マヤは今夜、その禁断に手を伸ばそうとしていた。

部屋のドアを開けると、月明かりがほんのりと部屋を照らし、鏡の前に立つマヤの姿が壁に映し出された。鏡のフレームは古びて見えるが、鏡自体はいつも清らかで、今宵もその美しい銀色の面がマヤを呼んでいるように見えた。
マヤは恐る恐る手を伸ばし、鏡の冷たいガラスに指を触れた。すると突如、部屋の温度が感じられなくなり、目の前の風景がぼやけていく。恐怖と興奮の入り混じった気持ちを抱えながら、彼女は新たな冒険が始まることを予感した。

突然、背後から誰かの声が聞こえてきた。驚いて振り向くと、目の前に見知らぬ少年が立っていた。少年の顔は不安と期待で彩られており、彼の瞳は遥か遠くを見つめているようだった。

この奇妙な出会いが、マヤとその鏡に隠された秘密、そして未来への扉を開く最初の一歩となるとは、まだ知る由もなかった。

小説やシナリオの本文をChatGPTに執筆してもらうことも可能です。その場合、**「あなたはプロの小説家です」**といった形で、**プロフェッショナルとしての役割を指定**することで、より出力される文章の精度が高くなることがあります。

また、何も指定をしないと、あらすじのような本文になることもしばしば。そのため、小説の本文らしい文章量にしたい場合は、**執筆してほしいシーンを細かく区切って指定する**とよいでしょう。

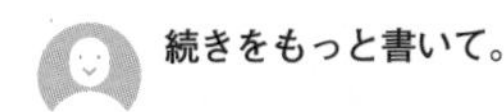

続きをもっと書いて。

プロットの○○のシーンを掘り下げて書いてほしい。

+α 物語の続きを書いてもらう

自分ですでに書いたシーンを読み込ませて、「この続きを書いてほしい」「別のシーンを書いてほしい」といったように、**登場人物や設定、雰囲気を踏襲しながら執筆をオーダー**することも可能です。

プロンプトに直接長文を入力する場合には、「**文章を複数回に分けて入力していくので、指示があるまではOKとだけ返事をして**」などと前置きしてから、読み込ませたい文章を「入力文1：」「入力文2：」と複数回に分けて入力していくとよいでしょう。

また、「**Advanced Data Analysis**」(P.21)を利用し、**文章の書かれたファイルをアップロードして読み込ませる**のも便利です。

活用術

46 文脈に合ったセリフを考えてほしい

①誰のセリフかを指定する。
②セリフの考案を指示する。
③シーンを明示する。

USER

次のシーンの鏡①のセリフ案をいくつか考えて②ほしい。:
③[封印の解かれた鏡が、初めてマヤに語りかけるシーン。

ChatGPT

鏡が語りかけるセリフの例を以下に挙げます：

1. 「数世代にわたり、お前たちの先祖に見守られてきた私。今、お前に真実を語る時が来たようだ。」
2. 「長い沈黙の後、ようやくお前と出会えた。私の中に秘められた物語、聞く覚悟はあるか?」
3. 「マヤ、封印を解いたお前にだけ、私の真実の力を見せることができる。」
4. 「君の血を引く者たちと長い時間を過ごしてきた。今、私の声を聞いている君に、運命の物語を伝える時だ。」
5. 「ようやく目覚めることができた。君が待ち望んでいた答え、私の中には全てがある。」

登場人物たちのセリフや会話は、物語の進行上大切な要素です。プロンプトで設定やあらすじを明示したり、セリフを考えてほしいシーンを指定したりすれば、ChatGPTが設定やあらすじ、物語の文脈を踏まえたセリフを生成してくれます。

一言のセリフだけでなく、スピーチのような**長いセリフや、登場人物同士の会話**を作成してもらうことも可能です。

Next Step >> もっとよくする！

USER

案5のセリフに続けて、鏡とマヤの会話文を考えてほしい。

AI ChatGPT

鏡：「ようやく目覚めることができた。君が待ち望んでいた答え、私の中には全てがある。」

マヤ「私が待ち望んでいた答え……？　あなたは何を知っているの？」

鏡：「あなたの家族、先祖たちが代々守ってきた秘密、そして君自身の運命について知っている。」

マヤ：「なぜ私？　なぜ今、あなたは私に話しかけてくるの？」

鏡：「時と場所、そして心の準備。全てが整った今、君が真実を知る時が来たのだ。」

マヤ：「真実……それは私が探しているものと同じなの？」

鏡：「それを確かめるのは君自身だ。ただ、知ることで世界は変わるかもしれない。準備はできているか？」

マヤ：「怖いけれど……知りたい。私の家族の秘密、そして私の運命について、全てを知りたい。」

鏡：「勇気ある決意だ。では、私とともにこの旅を始めよう。未知の領域へと君を導く。」

さらに会話を続ける

考えてもらったセリフに続けて、キャラクター同士の会話を作成してもらいましょう。

セリフ作成
プロンプトのバリエーション例

日常のさりげない会話のセリフを作成してほしい。

感情を押し殺したセリフ案を考えてほしい。

+α 修正の方向性を伝える

自分で考えたセリフの改善案をChatGPTに提案してもらうこともできます。「〇〇という印象を与えるための改善案を教えて」というように、改善後のゴールを指定することで、文脈やイメージに沿った提案をもらうことができます。例えば、「もっとお嬢様らしい口調に改善して」「インテリキャラっぽいセリフにして」など、キャラクターの属性を指定してもよいでしょう。

さらに、日常を描写するシーンのさりげない会話やモブキャラクターたちの会話など、**進行上の働きが少ない会話を手早く生成**してもらうことも可能です。「自然に、3回程度会話を交わして」などと指定してもよいでしょう。

キャラクターの**人物像**を詳しくプロンプトで指定することも、より求めているセリフを出力するために効果的です。ただし、イメージ通りの口調を完璧に再現するのは難しい場合もあるため、出力されたセリフを自分で適宜微調整しながら活用するとよいでしょう。

活用術

47 印象的な書き出しの一文を考えてほしい

USER

あなたはプロの小説家①です。

次のSF小説の印象的な書き出しの一文をいくつか考えて②ほしい。:

③[人間がほぼいなくなった近未来の地球で、孤独に暮らす1人の男の話。

POINT

①役割を指定する。

②書き出しの一文の考案を指示する。

③物語のあらすじや設定を明示する。

AI

ChatGPT

以下にそのシチュエーションに合わせた印象的な書き出しをいくつか提案いたします。

1. 「人々の笑い声が消え去ったこの地で、男は自分の呼吸だけを耳にした。」
2. 「闇の中で目を覚ました時、男は独りきりの世界を目の当たりにした。」
3. 「無機質なドローンが静かに空を舞う中、男は唯一の有機的存在として立っていた。」
4. 「高度に進化したAIが地球を支配する中、男は最後の『人間』としての日々を過ごしていた。」

物語の書き出しは、読者を引き込むための大切な一文です。プロンプトに物語の設定やあらすじを明示して、印象的な書き出しのアイデアを出してもらいましょう。**個数を多めに指定して生成したり、何度か生成し直したり、プロンプトに入力する情報量を増やしたりする**ことで、イメージに近い文章を生成することができるでしょう。

書き出し文考案
プロンプトのバリエーション例

意外性のある書き出しにしてほしい。

主人公のセリフから始まる書き出しにしてほしい。

活用術

48 何かにたとえて説明文を考えてほしい

USER

「ギルド①」という言葉の意味について、何かにたとえ②ながら、説明して③ください。

POINT
①対象を示す。
②説明の方法を指定する。
③説明文の作成を指示する。

AI ChatGPT

「ギルド」は中世の職人や商人の協同組合で、「ギルド」を現代の組織やコンセプトにたとえると、「業界団体」や「専門家協会」に似ています。

スキルと教育：ギルドと専門家協会は、メンバーのスキル向上や研修を奨励します。
業界の規制：両者は品質や価格の基準を設定し、業界の信頼性を保護します。
メンバーの支援：ギルドも業界団体も、メンバー同士のネットワーキングやサポートを提供します。

簡単にいえば、「ギルド」は、その時代の専門家協会や業界団体として機能していました。

創作において物語に複雑な設定がある場合、**「要するにこういうこと」**とわかりやすく読者や主人公に説明してくれる文章があると、グッと読み進めやすい物語になります。そんなとき、ChatGPTに**たとえ話**を使った説明のアイデアをもらうのもひとつの手です。

説明文考案
プロンプトのバリエーション例

「○○」を「△△」にたとえて説明してほしい。

15歳でもわかるようにわかりやすく説明してほしい。

活用術49 ChatGPTに物語上の役になってもらい、その会話を活用したい

POINT

①設定になりきることを指示する。
②なりきってほしいキャラクターの設定を指定する。
③キャラクターへの質問をする。

USER

以下の設定になりきって①、質問に答えてほしい。：

② アリス、25歳、OL。一人称は「あたし」、語尾は「～よ」「～ね」「～だわ」「～なの」。性格は、思いやりがあるが少し引っ込み思案。おとぎ話で知った自然に囲まれた生活への憧れから、心の中に小さな葛藤を抱えている。

③ アリスへの質問：最近の悩みは何ですか？

ChatGPT

アリスとして答えますね。

「あたしの最近の悩みは、
都会の生活と自然に囲まれた生活の間で迷ってることなの。
毎日、オフィスでの仕事や電車の中の混雑を経験すると、
おとぎ話のような自然に囲まれた静かな生活に憧れるのよね。
でも、都会の生活にも慣れてきて、
友達や職場の人たちとの関わりも大切に思うんだわ。
心の中でずっと葛藤が続いていて、どちらの生活を選ぶべきか分からないの。
それが、あたしの最近の悩みなの。」

Next Step ≫ **もっとよくする！**

USER
そうなんだ。じゃあ、アリスが一番大切にしたいことは？

ChatGPT
アリスとして答え続けますね。

「一番大切にしたいことは……、
やっぱり心の平和と、自分らしさを保つことだわ。
おとぎ話のような環境が素敵だと思うけど、
それを追い求めて無理をして自分を犠牲にするのも違う気がするの。
だから、どこで生活をするにしても、あたし自身が心地よく、
自分らしく過ごせる場所を見つけることが大切かなって思うんだよね。

そしてね、友達や家族との絆もあたしにとってはすごく大切なの。
自然に囲まれた生活に憧れるけれど、大切な人たちとの距離が離れることになったら、
それはそれで寂しいと感じるかもしれないわ。
だから、もし田舎での生活を選ぶとしたら、
どうやって大切な人たちとの関係を保つか、それも考えなきゃいけないよね。」

会話を続ける

セリフを投げかけると会話が続きます。キャラクターになりきったChatGPTとロールプレイを続けましょう。

「この登場人物は相手にこう言われたらどう返すか」「こんな状況ではどのように考えるか」といったことについて、**ChatGPTにキャラクターになりきってもらい**、ロールプレイで掘り下げていくこともできます。

このとき、**なりきってもらう設定についてしっかりとChatGPTに指示する**ことが大切です。キャラクターに質問するだけでなく、**自分自身もキャラクターになりきって、ロールプレイの会話をする**こともできます。

+α キャラクターとしての認識を持ってもらう

ChatGPTに**キャラクターになりきってもらう**と、こちらのセリフに対して、**設定したキャラクターとして答えてくれます。自分で創作している物語のキャラクターが自動で話してくれるような体験**は、創作のアイデアにつながることはもちろん、それ自体がおもしろいものになるでしょう。

ただし、独自の設定を細かく指定しすぎると、指示に引きずられて、セリフとしてはやや不自然になってしまうこともあります。

例えば、**細かく口調を設定したい**場合は、「**一人称**」（例：あたし）、「**二人称**」（例：君）、「**語尾**」（例：～だわ。～よ。～ね。）、「**特徴**」（例：明るくフレンドリー）など、項目別に設定するとよいでしょう。

キャラクターが登場するシーンが書かれた文章を読み込ませて、性格や特徴を踏まえた上で答えてもらうのもよいでしょう。

活用術

50 物語の世界観設定を考えてほしい

POINT

①世界観設定の対象を指定する。
②世界観設定の考案を指示する。
③入れたい要素や条件を明示する。

USER

次のキャラクターが主人公の物語①の世界観を考えて②ほしい。：

③
魔法が好きで、小さなドラゴンを飼っている22歳の女性。液体を自由に成型する魔法が得意で、暇なときはずっと魔法で遊んでいる。

ChatGPT

以下に、そのキャラクターを主人公とする物語の世界観を提案します。

1. 物語の舞台：
「エンチャンテッド・リルスピア」は、魔法と美しい自然、
不思議なクリーチャーが共存する世界。住人は魔法と自然との共鳴を感じることができる。
2. 主人公：
アリア・サンシャイン、22歳。彼女は「リキッド・ウィーヴァー」として知られる
魔法使いで、液体を自由に成型する魔法が得意。
明るく活発な性格で、自分の魔法を使って芸術的な作品を創造し、人々を楽しませる。
3. 相棒：
シャドウという小さなドラゴン。アリアと心を通わせることができ、
彼女の魔法の冒険のパートナー。
4. 物語のテーマ：
アリアの魔法を中心とした冒険と成長。
彼女は魔法の力で困難に挑み、友情や創造性、自己発見の旅を繰り広げる。

Next Step ≫ もっとよくする！

USER
この世界では、魔法はどのような役割に位置していますか。

世界観を掘り下げる

提示された世界観をさらに掘り下げて、物語上で機能する実用的な設定を引き出してみましょう。提示されたものを発展させるような質問で世界観を掘り下げることができます。

AI

ChatGPT
「エンチャンテッド・リルスピア」の世界において、魔法は以下のような役割に位置しています。

1. 生活の一部：魔法は、エンチャンテッド・リルスピアの人々の日常生活に深く根付いています。魔法を使って家事や農作業を効率的に行ったり、病気や怪我を治療したり、移動手段として使ったりすることが一般的です。魔法は人々の生活の質を向上させるために欠かせない存在となっています。
2. 芸術と文化：魔法は芸術や文化の重要な要素でもあります。魔法使いたちが液体を自由に成型する魔法を使って美しい芸術作品を創り出したり、魔法を使った演劇や音楽などのエンターテインメントが人々に親しまれています。魔法を使って表現される芸術は、独自の魅力と美しさを持っています。
3. 教育と研究：魔法学校が存在し、若者たちが魔法の使い方を学びます。魔法の力は知識と学問においても重要な役割を果たしており、魔法の応用や理論に関する研究が進んでいます。新たな魔法の発見や発展が、この世界の進化に寄与しています。（中略）

このように、「エンチャンテッド・リルスピア」において魔法は、社会の基盤を形成する重要な要素として位置づけられています。

物語の世界観設定は、ストーリーを進めていくうえでとても大切なものです。**ChatGPTを活用して、しっかりとした世界観を組み立ててみましょう。**決まっている情報をプロンプトに入力して、「**この設定を持った世界観を作ってほしい**」と指示することで世界観を提案してくれます。例のように登場人物を提示してもよいですし、物語の簡単なプロットやジャンル、媒体など、物語に関する設定についての提示はどんなものでも大丈夫です。

+α 世界観を掘り下げる

最初の返答で提示された世界観について、**気になる箇所を掘り下げることでより厚みの増した世界観・設定を作ることができます。**舞台となる世界にある敵や障壁は何か、主人公はどこに向かって冒険をするのか、この世界における主人公の役割はどこに位置するのかなど、世界観に関する設定について具体的に質問することで、細部まで作り込まれた世界観ができ上がります。

物語を作る媒体やジャンルを指定することも効果的です。例えばRPGゲームを指定すると、倒すべき敵がいる世界観が提案されやすくなります。ミステリーやSF、日常ものなどジャンルを一緒に指定すれば、ジャンルに沿った世界観が出力されやすくなります。

活用術

51 登場人物の設定を考えてほしい

① 物語の大枠を指定する。
② 物語上の立ち位置などの条件を指定する。
③ 登場人物の設定の考案を指示する。

USER

「エンチャンテッド・リルスピア」と呼ばれる魔法の世界①で、魔法が好きで、小さなドラゴンを飼っている22歳の女性アリアと一緒に行動する②、2人の登場人物の設定や特徴を考えて③ほしい。

ChatGPT

登場人物1：イリス・モーニングスター（Iris Morningstar）、24歳

特徴：イリスはエンチャンテッド・リルスピアで非常に有名な魔法使いであり、魔法の使い手としての腕前は抜群です。彼女は優雅で落ち着いた雰囲気を持ち、知識と知性を兼ね備えています。彼女の魔法は、花や植物を操る「フローラル・ウィザードリー」として知られており、美しい花の創造や、植物の成長を促すことが得意です。

登場人物2：ノックス・ワイルドハート（Knox Wildheart）、26歳

特徴：ノックスはエンチャンテッド・リルスピアの中でも屈指の冒険者であり、優れた戦士でもあります。彼は魔法使いとしての能力を持ちながら、剣や武器を巧みに使うことにも長けています。彼の魔法は、雷や稲妻を操る「サンダーストライカー」として知られ、戦闘において圧倒的な火力を持っています。

ChatGPTに物語のプロットや設定、その登場人物の物語上の立ち位置や役割を伝えると、登場人物の設定を決めてくれます。**物語の情報を伝えることが重要**で、曖昧だと突飛な設定が生成されてしまうこともあります。**主人公との関係や、物語上でどういった役回りをする人物なのか**もプロンプトで明示するとよいでしょう。

Next Step >> もっとよくする！

USER
この2人の詳細なプロフィールやそのほかの特徴を生成して。

AI ChatGPT
イリス・モーニングスター
出身地：リルスピアの南部、花畑が広がるクリスタル・ヴァレイ
趣味：古代の魔法書の収集、植物の育成
好きなもの：月明かりの下での瞑想、ジャスミンの香り
嫌いなもの：破壊的な魔法、大きな騒音
家族構成：両親と妹が一緒に暮らしている。家族は全員が魔法の一族。
特技：音楽魔法でハープを演奏すること

ノックス・ワイルドハート
出身地：リルスピアの山岳地帯、雷鳴が絶えないストーム・ピークス
趣味：武器の研ぎ澄まし、荒野でのキャンプ
好きなもの：雷の音、炎で焼いたステーキ
嫌いなもの：裏切り、冷たい気候
家族構成：孤児であり、兄弟はいない。幼少期を孤児院で過ごす。
特技：短時間での魔法のチャージ、体術

登場人物の特徴を深掘りする

登場人物の設定を深掘りしてみましょう。プロンプトでフォーマットを指定して、フォーマットを埋めてもらうかたちでもよいでしょう。

登場人物の設定考案 プロンプトのバリエーション例

個性が引き立つ3人兄弟の設定を考えてほしい。

敵として出てくる登場人物の設定を考えてほしい。

+α 設定事項を指定する

登場人物設定について、**プロフィールで必ず入れてほしい項目をあらかじめフォーマットとして提示して、ChatGPTに埋めてもらうこともできます。**

最初のプロンプトで設定の大枠を出力してもらい、それが気に入ったらフォーマットを渡して登場人物の詳細を作り上げていく方法なら、最も効率的に細部の設定を考えてもらうことができるでしょう。

また、フォーマットで出力された部分に対して質問をすると、さらに登場人物像が固まります。上記の例を参考にすると、「イリスの魔法についてもっと詳しく」「ノックスの過去ついて詳しく」とChatGPTにたずねると、設定を深掘りしていくことができます。

活用術

52 登場人物の名前を考えてほしい

①対象を指定する。
②名前の考案を指示する。
③複数案ほしいと指定する。

USER

美しい王女[①]にぴったりの名前を考えて[②]ほしい。
名前の案はいくつか[③]出してほしい。

AI

ChatGPT

もちろん、美しい王女にふさわしい名前をいくつかご提案いたします。

1. アリエル（Ariel）
2. セレナ（Selena）
3. エリアナ（Eliana）
4. ソフィア（Sofia）
5. イザベラ（Isabella）
6. ルナ（Luna）
7. アリシア（Alicia）
8. セリーナ（Celina）
9. ミラ（Mira）
10. レオナ（Leona）

これらの名前は、多くの文化や伝説で使われる王女の名前や、
王女らしさを感じる名前をもとに選んでみました。

Next Step >> もっと活用する！

USER
架空の都市名の案をいくつか出してほしい。

ChatGPT
もちろん、以下は架空の都市名の案です：

1. ルミネリア（Lumineria）
2. セレスティア（Celestia）
3. サイレンスポート（Silensport）
4. エクレアヴィル（Eclairville）
5. テラノヴィア（Terranovia）
6. シャドウケイプ（Shadowcape）
7. オルタノス（Altanos）
8. ブリンドール（Blindol）
9. クリスタルベイン（Crystalvein）
10. ヴァルゴラス（Vargolas）

これらの名前は完全に独自のものであり、特定の言語や文化に直接的な関連はありません。必要に応じて、これらの名前をカスタマイズしたり組み合わせたりしてください。

都市の名前を考える

人物名と同じように、架空の都市名も考えてもらいましょう。

長い物語などを創作する際、どうしても登場人物が多くなり、設定を考えるだけでも一苦労するでしょう。そんなとき、登場人物の名前に特化してアイデアを生成してもらうこともできます。プロンプトには**何の名前なのか、設定は何なのか**を入力すればOKです。**フルネーム**や**ミドルネーム**のアイデアがほしいときは、その旨も伝えましょう。

+α イメージに合う名前をつける

架空の名前をつけるには、**地域や時代なども重要な要素となります**。例えば、登場人物の名前をつける際、日本人とアメリカ人では苗字も名前も傾向が異なります。時代においても、1970年代と2000年代で流行している名前や使われる漢字は異なります。イメージする地域や時代があれば指定するとよいでしょう。

人物ではないキャラクターの名前を生成するときは、**そのキャラクターの役柄や性格などが重要です**。妖精やモンスターなど、特別な設定があるならば、それらを設定しておきましょう。

架空の名前といっても、物語にリアリティを生む要素として大切なものです。読者や受け手にとって**発音しやすいもの、覚えやすいものであることや、オリジナリティも重要な要素**となります。

たくさんの案のなかから気になるものをピックアップし、「これに似た響きの名前をもっと考えて」といった形で納得するまでブレストを繰り返していくのもよいでしょう。

活用術

53 テーマに関するワードを集めてほしい

①テーマに関するワードを集めてほしいと指示する。

②形式や個数を指示する。

③テーマを明示する。

USER

下記のテーマに関するワードを集めて①ほしい。
簡単な説明も添えて、5個程度②挙げてほしい。
テーマ：野良猫について③

ChatGPT

野良猫に関するワードとその簡単な説明を以下に示します。

1. TNR（Trap-Neuter-Return）：野良猫の繁殖を抑えるための方法。
猫を捕獲し、去勢・避妊手術を行った後、もとの場所に戻す。
2. 餌やり：野良猫に食物を提供する行為。
適切に行わないと繁殖や病気の拡大の原因となることも。
3. 猫コロニー：一定の場所に生息する野良猫の集団。
4. 猫風邪：野良猫がかかりやすい病気のひとつ。人間の風邪とは異なる。
5. 猫のエイズ（FIV）：野良猫が感染することがあるウイルス性の病気。

書きたいテーマは決まっているけれど、**話題の広げ方が定まらない、関係のあるトピックをいくつか探したい**、といったときに役立つプロンプトです。テーマを明示して、「それに関するワードを出して」と指示すると、テー**マに関するワード**を出力してくれます。出力するワードの個数には差が生じるため、あらかじめ設定しておくとよいでしょう。イメージに沿わないワードが出力されてしまう場合、**テーマを絞るなどのを工夫してみましょう。**

Next Step >> もっとよくする！

USER
案3の「猫コロニー」についてもっとワードを挙げて。

ワードについて深掘りする

出力されたテーマに関するワードから文章を書くために、ワードについて深掘りして情報を集めてみましょう。追加のプロンプトで指示することで情報を得ることができます。

AI
ChatGPT

1. 領域意識
   説明：猫コロニーの中の猫たちは、自らの生息域を持ち、他の猫や動物に対してその領域を守る行動を示すことがある。

2. リーダーキャット
   説明：コロニーの中でリーダーシップを取る猫。他の猫たちとの関係や領域の管理などにおいて中心的な役割を果たすことがある。

3. 繁殖期
   説明：猫が繁殖活動を行う期間。この時期になると、コロニー内での縄張り争いやペアリング行動が活発になることがある。

4. 共同生活
   説明：猫コロニーの中の猫たちは、食料の共有や子猫の世話など、共同で生活する様子を見せることがある。

これらのワードは、猫コロニーの生態や動態、そしてコロニー内の猫たちの関係や行動を示しています。

ワードを集める
プロンプトのバリエーション例

「神話」に関係の深いワードをたくさん集めてほしい。

○○、△△、□□に共通するワードを集めてほしい。

+α ワードの説明をしてもらう

追加のプロンプトで、**出力されたワード**について**「教えてほしい」と指示することで、ワードに関する詳細な情報を得ることができます。**ワードについて深掘りして理解を深めたいときに活用しましょう。

ただし、事実と異なる情報が入っている場合もあるので、必要に応じてファクトチェックをしつつ、参考にするとよいでしょう。

一般的な情報や世論などをざっくり知ることができるため、その後の情報収集や文章執筆でも役に立つでしょう。

活用術

54 異なる言い回しのバリエーションを出してほしい

①条件を指定する。

②ほかの言い回しの考案を指示する。

③もとの文章を明示する。

USER

次の文章について、①意味を変えずにほかの言い回しを教え②てほしい。：

③**夏の暑い日に雨が降ってきた。**

ChatGPT

1. 夏の雨が降り始めた。
2. 夏空から雨粒が落ちてきた。
3. 暑い日が続いた後、ようやく雨が降ってきた。
4. 夏の午後、ぽつぽつと雨が落ち始めた。
5. 真夏の雨が地面を打ち付ける音が聞こえてきた。
6. 夏の短い雨が突然降り出した。
7. 湿度が高い夏の日、雨が降り注いできた。
8. 夏の夕立が突如として始まった。
9. 蝉の鳴き声とともに、夏の雨が降り出した。
10. 暑さを和らげる夏の一雨が降ってきた。

文章を書くうえで、ひとつの事柄を表す言葉や表現はたくさんあります。**よりよい言い回しにしようと、頭を抱えてしまう人**も多いのではないでしょうか。

文章と希望する条件をプロンプトに入力すると、いくつかのアイデアを出してくれます。「**遠回しな言い方にして**」などと指示をすると、新しい視点での表現を提案してくれるでしょう。

Next Step >> もっとよくする！

USER

「夏」という言葉を使わず、比喩的な表現に修正して。

ニュアンスを指定する

一口に「夏の雨」といっても、「夏」や「雨」を表す言葉や表現はたくさんあります。直接的な言葉を使わずに表現するよう、「比喩的な表現にして」などと指示を出してみましょう。

ChatGPT

もちろん、夏の雨を比喩的に表現する言い回しを考えます。

1. 焼ける大地に、天からの涼しいキスが落ちてきた。
2. 蝉の歌に合わせ、空が涙をこぼし始めた。
3. 熱帯夜の疲れを癒す、天の涼しい贈り物が舞い降りた。
4. 焦げるような太陽の下、空が涼しいシャワーを贈ってきた。
5. 汗ばむ大地に、空からの冷たい慰めが降り注いだ。
6. 炎天下の中、天が優しく冷やしてくれる涙を流し始めた。
7. 焼けつくような日差しに、空が冷たいシャワーで応えてきた。
8. 熱帯の太陽に疲れた大地に、空からの癒しの雫が舞い降りた。
9. 蒸し暑い日々に、天からの冷たい抱擁が始まった。
10. 無情な太陽に立ち向かうように、空が涼しい雨のカーテンを下ろしてきた。

これらの表現は、夏の雨を比喩的に描写して、その特有の情景や感覚を伝えています。

表現を変える際の
プロンプトのバリエーション例

「○○」について、詩的な表現で言い換えてください。

「感情が荒ぶる」という表現と似た意味の言い回しを教えてください。

+α 手軽な類語辞典として使う

フレーズだけでなく、「『ほほえむ』の別の言い方をたくさん挙げて」など、**語彙の幅を増やしたい**ときに、**手軽な類語辞典代わり**に使うこともできます。

また、自分の理想とする表現や「こんな表現にしたい」という意図があるならば、そうした希望も伝えましょう。

例えば、単語ならば**硬めやカジュアルなどのニュアンス**、フレーズならば**比喩・隠喩、文体や言葉のチョイス、リズムや響き、伝えたいメッセージ**など、さまざまな角度からのアプローチが可能です。小説ならば、前後の文章も入力してみると、文脈を踏まえた表現のアイデアの出力が期待できそうです。

いずれにせよ、「読者に伝えたいことは何なのか?」「どんな印象を与えたいのか?」といったことを意識しながら、表現の幅を広げてみましょう。

活用術

55 文章を拡張してほしい

USER

次の物語の一文を拡張して①ほしい。
より詳細な説明や表現を入れて、200字程度②にまとめて。:
③[斎藤は無類のラーメン好きで、県外まで飛び回るほどだ。

POINT
①文章の拡張を指示する。
②条件を指定する。
③もとの文章を明示する。

AI

ChatGPT

斎藤は、ただのラーメン好きとは一線を画す、真のラーメン愛好者だった。
彼の舌は、さまざまな店のスープや麺の違いを瞬時に識別することができ、
その知識は尋常ではない。
地元の名店はもちろん、隠れ家的な小さな店舗や新しくオープンした店まで、
彼の足跡は数知れず。
その情熱は、県外へと彼を駆り立てるほどで、
週末には遠方のラーメン店を訪れるために長時間ドライブすることも珍しくなかった。
彼が目指すのは、全国の絶品ラーメンを味わうこと。
その旅路は、まだまだ終わりを見せない。

文章で何かを表現するときに文字数の指定があり、規定ラインまで増やさなければいけない状況も考えられます。しかし、**どこをどのように拡張すればよいか**、悩むこともあるでしょう。

ChatGPTに文章を拡張してもらうと、さまざまな表現を加えてくれます。プロンプトには、拡張したい旨と、もとの文章を入れればOKです。

ただし、文字数は指定通りに出力されないこともあるので、注意しましょう。

文章拡張の
プロンプトのバリエーション例

第三者の視点を入れながら文章を拡張してください。

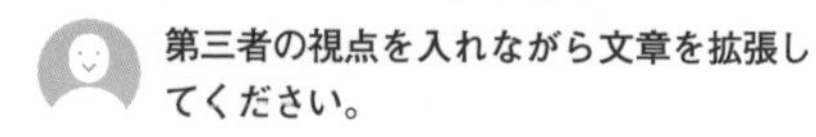

次の文章を1000字程度に拡張してください。

活用術 56

視点を変えて文章を書き直してほしい

USER

次の文章を、主人公・大樹（一人称はオレ）の視点①で内容を変えずに書き直して②ほしい。：

③大樹は、高校を卒業したら絶対に東京に行くのだとひそかに決意していた。ある日の昼休み、友人の聡が「大樹は卒業後、どうするんだ?」と大樹にたずねた。大樹は正直に伝えるべきか迷い、「うーん、どうだろ」と曖昧な返事をした。しかし、勘の鋭い聡は、大樹が何かを隠しているのに気づいたようだった。

POINT

①誰の視点にしたいかを指定する。

②視点を変えて書き直すことを指示する。

③もとの文章を明示する。

ChatGPT

高校を卒業したら、絶対に東京に行くんだ、とオレはひそかに決意していた。
ある日の昼休み、聡が「お前、卒業後、どうするんだ?」とオレに聞いてきた。
正直に言うべきか迷ったけど、「うーん、どうだろ」と曖昧に答えた。
でも、聡の目は鋭く、オレが何かを隠していることに気づいているようだった。

特にストーリー性のある文章などでは、**誰が語っているのか、視点がとても重要です**。ナレーターが第三者視点で説明していくパターンや、主人公が一人称視点で自分の考えを述べるパターンもあるでしょう。また、同じ場面において2人以上の登場人物が出てくる場合で、どちらか一方の視点からしか描かれていないとき、**もう一方の視点に切り替えて文章を生成してもらう**ことも可能です。さまざまな視点からストーリー描写を試してみましょう。

視点を変えて文章を生成するプロンプトのバリエーション例

このシーンに登場する○○の視点で同じシーンを描いて。

この文章を客観的な視点から描いてほしい。

活用術

57 作家の文体の特徴を教えてほしい

POINT

① 文体を指定する。
② 文章作成と特徴を簡潔にまとめることを指示する。
③ もとの文章を明示する。

USER

次のシーンを夏目漱石風の文体①で文章にし、文体の特徴を簡潔に教えてほしい②。：

③学校に遅刻しそうになった主人公がヒロインとぶつかって出会うシーン。

ChatGPT

夏目漱石風の文体での再現：
主人公は学校の門が遠ざかるかのような焦燥感に駆られ、足を急がせていた。その瞬間、どこからともなく現れた少女と、予期せぬ形で衝突する。目の前には、風に舞い上がる彼女の髪、ひとしずくの涙、そして驚きの色を帯びた瞳があった。運命の出会いであるか、ただの偶然であるか、その時点ではまだ、主人公にも彼女にも知る由もなかった。

夏目漱石の文体の特徴：
抑制された感情：漱石の作品はしばしば感情を控えめに、しかし深く描写します。
独特のユーモア：皮肉や独特の視点を取り入れ、日常の出来事に深みやユーモアを与えます。
省略と暗示：直接的な表現よりも、読者に考えさせる間接的な表現を好みます。
深い人間観察：人間の心の複雑さや、社会との関わりを緻密に捉えています。
やや古風で優雅な言い回し：現代文とは少し異なる、時代を感じさせる表現が散見される。

上記の特徴を取り入れつつ、現代のシチュエーションを漱石風にアレンジしてみました。

Next Step >> もっとよくする！

USER
太宰治風の文章にしてほしい。

ChatGPT
太宰治風の文体での再現：
どうしても、学校に遅れてしまいそうだった。この狭い町の中で、私の心臓だけが猛烈に鼓動を打っているように感じた。朝の光は、静かな町に柔らかく降り注いでいた。
でも、私の足元だけがその静寂を乱していた。そして、ある角を曲がった瞬間、世界が一瞬、止まったように感じた。ぶつかったのは、1人の少女だった。彼女の瞳は、驚きとともに、深い哀しみを帯びていたように見えた。私たちは、言葉を交わさず、見つめ合っていた。その瞬間、運命のようなものを感じたのだ。

太宰治の文体の特徴：
深い感受性：彼の作品には、人間の深い感情や哀しみ、痛みが生き生きと描かれています。
哲学的な要素：人間の存在や運命についての思索を織り交ぜることが多いです。
独白的な語り口：まるで日記や手紙のような、独白的な語り口で物語が進行します。
詩的な言葉選び：言葉一つひとつが詩的で、美しく響くような表現が特徴です。

これらの特徴をもとに、上記のシーンを書きました。

いろいろな作家の特徴を聞く

今度は別の作家を指定して、文章の特徴を教えてもらいましょう。

作家を指定すると、ある程度その**作家の作風を取り入れた文章を生成**してくれます。シーンやテーマのみを指定してもよいですし、もとの文章を明示して作風を取り入れた文章に書き直してもらうこともできます。インスピレーションを得るための材料にしてみるのもよいでしょう。

ただし、一見それらしく再現を試みてはくれますが、再現の精度についてはまだまだ不十分なケースが多いようです。

+α 効率よくインプットする

創作とは新しいものを作ることですが、そのためには**インプット**もとても重要です。古典や伝統的な作品は、これまでの歴史で文化的または芸術的に評価され、時代を超えて受け継がれてきたものです。そうした作品を学ぶことで、「創作をするうえでどんなことが重要なのか」が見えてくるでしょう。

たくさんの作品を読んで、筆致やストーリーの構造をインプットするのもよいですが、ChatGPTの力を借りて、**手軽に有名作家や作品の特徴を調べてみる**のもひとつの手です。

活用術

58 創作した文章の感想を聞かせてほしい

USER

次の文章①について、感想を聞かせて②ほしい。：

③
雨の音が窓ガラスを打つ中、浅海はカフェの片隅の席に座っていた。彼女の前には、熱を失ったコーヒーカップが置かれている。彼女はそのコーヒーを一口飲むと、指先の割れたネイルをじっと見つめた。

POINT

①対象を指定する。
②感想を教えてほしいことを指示する。
③対象となる文章を明示する。

AI

ChatGPT

以下、感想としていくつかのポイントを挙げます：

雰囲気の描写：「雨の音が窓ガラスを打つ中」という表現は、
読者に静かでメランコリックなシーンを想像させます。
キャラクターの内面：「指先の割れたネイルをじっと見つめた」という行動は、
浅海の内面や過去に何らかの問題や秘密があることを示唆しています。

全体的に、この文章はキャラクターの内面や背景を効果的に描写しており、
読者の興味を引きつける要素がたくさん含まれています。続きが気になる書き出しです。

物語を書いていると、人からの感想を聞いてみたいと思うことも多いのではないでしょうか。しかし、周りに適任がいない、恥ずかしいといった理由からなかなか感想をもらえない人も多いと思います。そんなときは、**ChatGPTに感想を聞いてみましょう。**

改善点を聞きたいなら、「どのように修正すれば○○を表現できるか」など、具体的に指示を入れることをおすすめします。

感想を聞く際の
プロンプトのバリエーション例

この登場人物についての感想とフィードバックを教えてほしい。

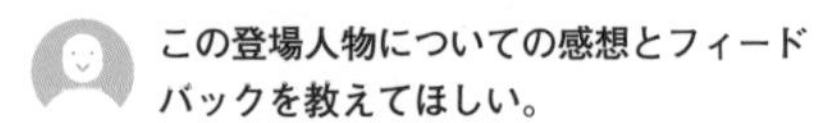

10代の読者目線で感想を聞かせて。

活用術
59 書いた文章から登場人物の性格を分析してほしい

USER
[ファイルを添付]①
添付ファイルをもとに、主人公のロゼの性格を分析して②ほしい。

POINT
▶「Advanced Data Analysis」を選択する。
①ファイルをアップする。
②性格の分析を指示する。

AI
ChatGPT
了解しました。まず、提供されたファイルを読み込み、内容を確認します。
全文を読み込み、ロゼに関する情報や彼女の言動を抜き出してみましょう。

1. ロゼはシェルハート家の娘であり、マナーを守りながら行動している。
2. 彼女は周囲の状況や人々の様子を注意深く観察している。
3. テレサ・ミルヴェーデンやテート・ヒュランデルとの会話から、彼女は社交的であり、他の貴族との関係を大切にしていることが伺える。
4. 女公爵の話を聞いている間、ロゼは退屈している様子が見受けられるが、礼儀正しく聞き続けている。
5. サラとのやりとりから、ロゼは他者に対して思いやりが深く、サポートしたり助けたりする姿勢が見られる。

このような情報をもとに、ロゼは礼儀正しく、社交的で、観察力があり、好奇心が強い性格を持っていると言えます。また、他者を思いやる心も持っており、状況に応じて適切に行動することができる人物として描かれています。

自分が書いた文章から、**登場人物のイメージが意図通りに伝わっているかどうか、表現したい性格と物語中での行動が一致しているか**、などを客観的に分析するプロンプトです。「Advanced Data Analysis」を使わずに長文を読み込ませて分析したい場合には、P.107でも解説したように、**「文章を複数回に分けて入力していくので、指示があるまではOKとだけ返事をして」**などと前置きしてから、複数回に分けて文章を入力していくとよいでしょう。

Chapter 0 1 2 3 4 5 6

活用術 60

編集者として文章の改善点を教えてほしい

POINT

①役割を指定する。
②対象を指定する。
③フィードバックを指示する。

USER

あなたはプロの編集者①です。
このスレッドで考えたプロット②について、
フィードバックして③ほしい。

ChatGPT

よい点：
キャラクターの背景：カイトの孤独とミライの記憶喪失という設定は、読者の共感を引き出しやすい。この2つの設定が、物語の進行において重要な役割を果たすことが期待されます。

舞台設定：孤独な島という舞台は非常にロマンチックで、美しいビジュアルを想像させます。海やその下の洞窟、遺跡なども冒険の舞台として魅力的です。

成長の物語：カイトとミライの関係が進化し、お互いの過去やトラウマを乗り越えていく部分は感動的です。

考慮点・提案：
敵の動機：ミライを狙う王国の敵の動機や背景がもう少し詳しく描写されるとよいでしょう。敵も複雑な背景や感情を持っていると、物語の深みが増します。

ミライの特別な力：この特別な力の詳細や起源、そしてそれが物語の中でどのような役割を果たすのかを明確にすることが重要です。

カイトの過去：カイトの過去や心を閉ざした理由にも触れ、彼の成長やミライとの関係の深化につなげると、より一層の感動や深みが加わるでしょう。

エンディング：ミライが王女としての職務を果たす場面や、カイトとの絆の深さをもう少し詳しく描写することで、物語の結末をより満足感のあるものにできるかと思います。

全体として、非常に魅力的なプロットが描かれています。少しの緻密な設定やキャラクターの深化を加えることで、さらに読者を引き込む物語となるでしょう。

文章のフィードバックを求めるときは、ChatGPTに編集者という役割を与えてみましょう。
作家は多くの場合、編集者のフィードバックを受けながら作品を完成させていきます。**独りよがりな文章にならないためにも、他者の視点はとても大事なのです。**
物語のプロットやシナリオは正解がないからこそ、迷ってしまうもの。**表現やストーリーの構成などに矛盾がないか、よりよくするにはどうしたらよいか**、フィードバックをもらいましょう。

文章のフィードバックをもらう
プロンプトのバリエーション例

プロットに矛盾がないか確認してほしい。

どうしたらもっとおもしろくなりそうか、教えてほしい。

よりキャラクターが引き立つエピソードにしてほしい。

+α 正しい役割を与える

「あなたはプロの作家です」「〇〇の専門家です」のように、ChatGPTに**役割**を与えることは、より精度の高い出力をもらううえで効果的です。

似て非なる職業のひとつに、校正と編集があります。校正とは、**誤字脱字や表記のゆれ、文法や文章に間違いがないか、前後の文章で整合性がとれているかなどを確認し、正しく修正する作業や仕事**のことです。一方の編集とは、**作家をサポートしたり、さまざまな情報を集めて取捨選択しながら構成し、出版物などにまとめたりする作業や仕事**のことをいいます。

ChatGPTに役割を与えるときは、誤字脱字や文章の間違いがないかを指摘してもらいたいなら校正者としての役割を、よりよい文章表現や見せ方がないかの案をもらいたいときには編集者としての役割を与えましょう。

より自然な文章にしたい

プロンプトの工夫をしよう

ChatGPTには自然言語処理の能力が備わっており、作成する文章は完成度が高いといえます。特に人と会話をしているかのような自然な流れでの会話でやりとりできる点は、従来のAIツールと一線を画すところでしょう。しかし、精度の低い文章を生成してしまうこともしばしば。より自然な文章で出力してもらうには、どのようにすればよいでしょうか。

1つめの方法として、プロンプトでしっかりと指示をすることが挙げられます。これまでも解説している通り、ChatGPTに何をしてほしいのか、目的を明確にして指示をしましょう。

2つめは英語で指示してみること。ChatGPTは英語の文章を最も多く学習しているため、どの言語よりも精度が高いといえるでしょう。二度手間になってしまいますが、一度ChatGPTに翻訳してもらってから目的のプロンプトを指示する方法も使えます。

3つめは指摘をすること。ChatGPTが精度の低い文章を出力したら、どこがどのように変なのか、具体的に指示して修正してもらいましょう。ChatGPTは同じスレッド内であれば会話を蓄積していくので、こうした指摘も学習してくれます。そのため、次回以降の出力では、設定した修正点を踏まえた、より精度の高い出力を期待できます。やり直しを命じる「Regenerate」(再生)ボタンを押すことで、イメージに近づくまで何度も出力をさせ直すこともできます。

4つめは有料版のChatGPT Plusを利用すること。無料版ではGPT-3.5が利用されているのに対し、有料版ではGPT-4が選択可能になります(2023年9月時点)。性能が上がっている分、より自然な文章を生成する可能性が高く、最も手っ取り早い方法です。ただし、文章の生成に少し時間がかかってしまう点には注意しましょう。

プラグイン「Prompt Perfect」

また、ChatGPT Plusを利用しているなら、プラグインも効果的に使ってみましょう。プラグイン「Prompt Perfect」は、プロンプトを最適な文章に変換して指示してくれるものです。プロンプトとして入力したテキストの最後に「perfect」と追記すればOK。あとは自動的に最適な文章へと変換してくれます。例えば、「よく眠れる方法を教えてください perfect」と指示を出した場合、「よく眠れる方法について、最も正確で包括的かつ高品質な回答を教えてください」といったプロンプトに変換され、そのプロンプトに対する回答が出力されます。要するに質問がより明確になるよう、変換してくれるのです。ただし、出力はすべて英語になるため、日本語での回答がほしい場合は、翻訳をしなければならない点に注意しましょう。

Chapter

4

さまざまな創作ジャンルのための活用術

活用術

61 作詞をしてほしい

POINT

①作詞を指示する。
②歌詞の構成や条件を指定する。
③テーマやメッセージなどを指定する。

USER

作詞をして①ほしい。まずは1番の歌詞を作って。
構成はAメロ→Bメロ→サビで、サビに少し英語の歌詞を入れて②。
テーマ：「春」「別れ」「誰かを恋しく思う気持ち」③

AI

ChatGPT

もちろん、作詞をお手伝いいたします。

Aメロ
春の風が吹き抜ける、桜の花舞い上げる。
思い出が頬を濡らす、君との日々を思うたび。

Bメロ
街はピンクに染まるけど、心は白黒の写真。
さよならの季節が、また来るのを感じる。

サビ
遠く離れて、I miss you so.
桜の下、涙の影。
春がくれた、別れの時。
My heart, still yearns for you.

Next Step >> もっとよくする！

USER
2番の歌詞を書いて。句読点は使わずに、適宜スペースや改行を入れて。

ChatGPT
Aメロ
桜の花が道を敷く 君を連れて飛んでゆく夢
風に乗せて届けるよ 心からのメッセージを

Bメロ
鳥たちの歌声は優しく 君の声を思い出すように
冷たい風が肌を刺すのは 君がいない寂しさだけ

サビ
空を見上げ I'm lost without you
桜の花 ひとひらのように
春の日差し 心を温めても
My love, it's only for you.

歌詞の続きを書く

1番の歌詞を書いてもらったら、2番の歌詞を書いてもらいましょう。また、句読点を入れないなどの歌詞の体裁も整えてもらうことができます。

歌詞は短い文字数のなかで何らかのメッセージを入れ込まなければいけません。また、世界観がわかるような描写も必要でしょう。そんなとき、**テーマやキーワードなどを指定すれば、ChatGPTが歌詞を生成してくれます。**「Aメロ→Bメロ→サビ」のように、**曲の構成を指定した場合は、それに沿って作成してくれます。**何も指定していなければ自由な構成で歌詞を書いてくれます。

+α 理想の歌詞に近づけていく

感情を表現するような文章では、一度で完璧な出力をさせることは難しいもの。何度も**壁打ち**をしながら少しずつ修正していき、理想とする**歌詞**に近づけていきましょう。

最初の出力では句読点が入っていることも多いです。**「句読点の代わりにスペースや改行を入れて」**と指示すると、より歌詞の体裁に近づけることができます。

単語やフレーズにおいては、**使ってほしい単語や「英語を入れて」など具体的な条件を指示する**とその通りになります。

また、これまでの人生で聴いてきた音楽で好きな曲や好きな歌詞があると思います。好きな雰囲気の歌詞を例として読み込ませることで、それらをに近い雰囲気の出力を期待できます。

ストーリーをモチーフとした歌詞にしたければ、物語の本文やプロットを読み込ませてもよいでしょう。物語の内容を踏まえた、テーマソングを作ってもらうことができます。

活用術

62 ラップの歌詞を書いてほしい

POINT

①作詞を指示する。
②テーマを指定する。
③歌い手の情報や特徴を伝える。

USER

ラップの歌詞を作って①ほしい。
テーマは「夢」「絆」「下積み」②で、
歌い手はラップバトルで王者に輝いたラッパー③。

AI

ChatGPT

Intro
王者のステージ 長い選手権
絆と夢 それが俺のチャンピオン

Verse1
下積みの日々 闘って頑張り
ヘッドフォン越しの声、それがトロフィー
夢を追い続け 熱い情熱の火
街角のライム それが俺のアイデンティティー

Chorus
夢の中で見たこの光景
絆が俺を支える その力絶えず
下積みの日々 挫折とともに
でも今 このステージで 輝くデスティニー

Verse2
仲間たちとの絆 それが最大の魔法
一緒に築いた道のり マイクとともにセッション
敗北を知り その度に再起
この絆と夢 それが俺のミッション

曲 調や音楽の特徴を指定することで、それに沿った**歌詞を書いてもらう**ことが可能です。今回は「ラップ」という、歌詞に特徴のある分野を指定しています。

テーマ次第で、歌詞の雰囲気がガラッと変わります。できるだけ細かく指定するとよいでしょう。また、**歌い手を指定すると適切な一人称を選択して歌詞に入れ込んでくれます。**

ラップ歌詞作成
プロンプトのバリエーション例

反抗的なラップの歌詞を書いてほしい。

ラップバトルをしてほしい。

Chapter 0 1 2 3 4 5 6

+α 日本語の「韻」を踏むのは難しい？

ラップでは、ヒップホップ独特のリズムやフローを表現するために、歌詞には「韻」が多用されています。韻を踏むことで耳にも残りやすいですし、作詞技術の見せ所でもあります。

左記の例でも、出力した歌詞のなかには韻を踏んでいる箇所がありますが、現段階では、**ChatGPTの日本語の「韻」についての認識や出力の精度はまだ低いようです。**ラップの歌詞に限らず、「韻を踏んでいる日本語の単語を挙げる」という作業を単独で行った場合も、まだまだうまくは出力できないようです。

どうしても意図的に韻を踏ませたい場合は、参考になるラップの歌詞や、韻を踏んでいる単語リストを読み込ませるなどして、**ChatGPTへ渡す素材を工夫してみる**ことで、精度UPを図ってみましょう。

活用術

63 曲のタイトルをつけてほしい

POINT

①曲のタイトル考案を指示する。
②テーマや入れ込みたい単語を指定する。
③長さや言語などの条件を指定する。

USER

曲のタイトルをいくつか考えて①ほしい。
テーマ：「冬の失恋ソング②」
短い英語③のタイトルにしてその意味も教えて。

AI

ChatGPT

もちろん、以下は「冬の失恋ソング」のテーマに合わせた英語のタイトルの提案です：

1. Winter's End
   意味：冬の終わり
   コンセプト：冬の終わりとともに恋も終わったというイメージ。

2. Frozen Heart
   意味：凍った心
   コンセプト：愛情が冷めて、心が凍ってしまったような感じ。

3. Snowfall Tears
   意味：雪のような涙
   コンセプト：雪が降るように涙がこぼれる様子。

Next Step » もっと活用する！

USER
さっきの歌詞にタイトルをつけて。

ChatGPT
もとの歌詞から感じられる雰囲気やテーマをもとに、タイトルの候補を以下に挙げます：

1. 「桜の涙」
2. 「春の別れ」
3. 「桜の影、君の声」
4. 「遠く離れても」
5. 「桜の下で思い出す」
6. 「春風の中の君」
7. 「白黒の心、ピンクの街」
8. 「君との春の日々」
9. 「桜舞う街の記憶」
10. 「心の桜、遠くの君」

これらのタイトルは、歌詞の中のイメージや感情、テーマを反映しています。

歌詞にタイトルをつける

P.134〜135で作ってもらった歌詞に、タイトルをつけてもらいましょう。同じスレッド内であれば、「さっきの歌詞にタイトルをつけて」などと指示すれば、案を出してくれます。

曲のタイトル案を出したいときは、**歌詞がなくても、テーマや入れ込みたいワードなどの情報があればOK**。できるだけ細かく設定するようにしましょう。

また、ChatGPTにタイトルを提案をしてもらうと、**2単語を組み合わせた出力が多い傾向にあります**。そのため、「**少し長めに**」「**インパクトのある1単語のみで**」など、**タイトルの長さ**にも言及する指示があると、バリエーションに富んだタイトルを提案してくれるでしょう。

+α 歌詞にタイトルをつける

上記のように、**生成した歌詞にタイトルをつけてもらう**ことは可能ですが、**歌詞に使われている単語をランダムに2つ程度組み合わせる**といった結果であることが多いです。出力されたタイトル案ではピンとこない場合は、**使ってほしいワードや禁止ワード**を指定してみると、よりよいタイトル案に改善されるでしょう。

例えば「**歌詞には出てくる単語やフレーズを使わないで**」と指示すると、歌詞の雰囲気を残しつつ、異なる言葉を組み合わせたタイトル案が出力されやすくなります。あるいはもっと個性的にしたいなら、「**サビの歌詞をもとに造語のタイトルにして**」「**カタカナの単語のタイトルにして**」などと、指示を出してみてもよいでしょう。

活用術

64 コード進行やメロディを作成してほしい

①コードをつけたい歌詞を指定する。
②コード進行の考案を指示する。
③希望する曲調を指定する。

USER

さっき作った歌詞①に合わせてコード進行を考えて②ほしい。
ミディアムバラードで、明るめの曲調③にして。

AI

ChatGPT

ミディアムバラードで明るい曲調のコード進行を提案します。

Aメロ：

| C | Am | F | G |

春の風が吹き抜ける 桜の花舞い上げる

| C | Am | F | G |

思い出が頬を濡らす 君との日々を思うたび

（中略）

サビ：

| C | G | Am | F |

遠く離れて I miss you so.

| C | G | F | G |

桜の下 涙の影

| C | G | Am | F |

春がくれた 別れの時

| C | G | F | G |

My heart,still yearns for you.

Next Step >> もっとよくする！

USER
サビをもっと切なくなるように修正して。

AI
ChatGPT
もちろん、サビの部分をもっと切なく感じるようにするために、
いくつかのコードを変更してみます。
サビの切なさや深さを増やすために、
マイナーコードや拡張コード（7th、9thなど）を使用します。

サビ：
C	E7	Am	F
Dm	G	F	G
C	E7	Am	F
Dm	G	F	G

E7は特別なコードとして、不安定さや緊張感を生み出します。
そのため、このコードを使うことで曲にドラマを追加することができます。
Dmはマイナーコードなので、自然と感じる切なさや寂しさを持っています。

曲調を変更する

出力の結果が気に入らなければ、改善したい点を指定するなどして修正を加えましょう。例えば「もっとサビで盛り上げて」など部分修正をしていくのもよいでしょう。

ChatGPTはコード進行も作成することができます。今回はP.134～135で作成した歌詞を指定して**コード進行**を考えてもらいました。また、**曲の雰囲気や曲調を指定することで、それに沿った出力をしてもらう**ことも可能です。作曲のアイデア出しとしても活用できるでしょう。ただし、音楽的な良し悪しは自分で確かめて判断するようにしましょう。

コード進行作成
プロンプトのバリエーション例

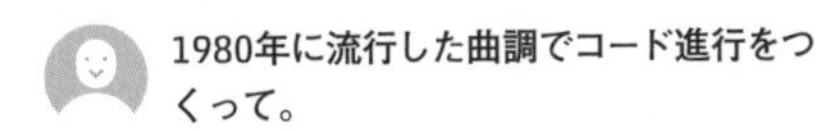

1980年に流行した曲調でコード進行をつくって。

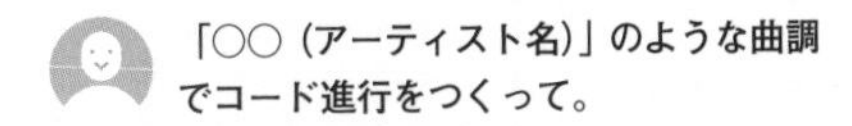

「○○（アーティスト名）」のような曲調でコード進行をつくって。

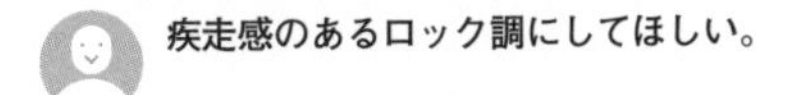

疾走感のあるロック調にしてほしい。

Chapter 0 1 2 3 4 5 6

Next Step >> もっと活用する！

コード進行だけでなく、メロディもつけてもらいましょう。「ドレミの音階で」などと指定することで、おおまかなメロディを提案してもらえます。

USER

この歌詞とコード進行に合わせて、ドレミの音階でサビにメロディをつけて。

ChatGPT

指定されたコード進行に合わせて、サビのメロディを考えてみますね。

サビ：
遠く離れて I miss you so.
ドレミファミレド

桜の下 涙の影
ファレドミファミレ

春がくれた 別れの時
ドレミファミレド

My heart, still yearns for you.
ファレドミレドレド

このメロディは、基本的なソルフェージュの音階を使用してシンプルに作成しました。
歌詞のフレーズや意味に合わせてメロディの上下動を考慮しています。
これは基本的なアイデアなので、実際の曲作りの際には、メロディをさらに練り直す、リズムを変更するなど、さまざまなアプローチで調整してみてください。

+α 1曲を完成形に近づける

今回はすでにある歌詞に**コード進行**や**メロディ**をつけてもらっていますが、**歌詞がなくてもコード進行やメロディを出力してもらうことは可能です**。

曲の構成は歌詞のある部分だけではありませんから、イントロ、間奏、アウトロなど具体的な曲の構成を指定して、コード進行やメロディを出力してもらってもよいでしょう。1曲を一気に作っていくよりも、部分的に構築していき、修正を繰り返しながら完成形に近づけていくイメージです。

曲のテーマ以外に**キーやムード、コードの複雑度**（シンプルにしたいか、複雑にしたいか）などを指定しても構いません。

活用術
65 テキストのメロディを音声ファイルに変換してほしい

USER

X：1

T：春の約束

M：3/4

L：1/8

① K：A

| AEFA | EDC2 | DEFD | CDA2 | ②

POINT

▶プラグイン「ABC Music Notation」を選択する。

① ABC記譜法の各項目を指定する。

② ABC記譜法でメロディを指定する。

ChatGPT

Here's the "春の約束" melody you provided in various formats：

- Listen to the audio（WAV）
- Download the MIDI file
- View the sheet music（PostScript）

Let me know if you need further assistance!

プラグイン「**ABC Music Notation**」では、**ABC記譜法**で書かれた**テキストのメロディを、音声ファイルに変換**することができます。

ただし、上記のプロンプト例のように、決まった形式のテキストでなければ変換できません。曲番号を「X」、タイトルを「T」、拍子を「M」、1音の長さを「L」、キーを「K」として、プロンプトを作成しましょう。

曲番号は、複数曲を同時に生成しないなら基本的に「1」でOKです。

また、メロディの表記はABC記譜法に限定されているため、**ChatGPTで「ドレミ」で書いたメロディをABC記譜法に変換してもらってもよいでしょう**。その際、小節を「|」区切りにすることも忘れずに。

活用術 66

動画配信で使えるネタを考えてほしい

POINT

①動画配信のネタ案出しを指示する。
②媒体を指定する。
③ジャンルを指定する。

USER

動画配信で使えるネタを考えてほしい。①
媒体はYouTube②、
ジャンルはゲーム③。

ChatGPT

YouTubeのゲームジャンルでのネタを考えてみました！　以下にいくつか提案しますね。

1. 初見プレイ挑戦：今まで全く手をつけていなかった有名なゲームをプレイしてみる。リアクションや驚きの瞬間を大げさに演出して楽しませる。
2. レトロゲームの再挑戦：昔のゲーム機やレトロなゲームを、現代の目でプレイ。当時の思い出話や、技術の進化についてのコメントなどを交える。
3. 限定ルールプレイ：通常のプレイ方法とは違う自分なりのルールを設けてゲームを進行。（例：「マリオでジャンプ禁止」や「FPSで近接武器のみ使用」など）
4. 視聴者参加型イベント：視聴者を招待して一緒にマルチプレイ。

昨今は動画配信を職業としている人が増加しています。その結果、「ネタ被り」に悩みつつ、常に新しいアイデアを考え続けている人も少なくないでしょう。

また、新しく動画配信を始める人も、最初はどんなネタにすればよいか迷ってしまうこともあるはずです。そんなとき、ChatGPTに動画配信のネタ案を一緒に考えてもらいましょう。

Next Step ≫ もっとよくする！

企画をさらに練る

いいネタがあったら、ブラッシュアップしてもらいましょう。

USER

案2の「レトロゲームの再挑戦」をブラシュアップして。

ChatGPT

「レトロゲームの再挑戦」をブラッシュアップしてみますね。

1. 初回プレイと現在プレイのスプリット画面：
   昔のプレイ動画と、現在のプレイ動画をスプリット画面で同時に放送。
   同じ場面でどれだけ成長したのか、あるいは技術が落ちてしまったのかを視聴者と共有。

2. 挑戦者たちとのバトル：
   ゲストや友人を招待して、レトロゲームのスコアや時間を競う。
   勝者には特別なプライズや称号を与える。

3. ビハインドストーリー：
   そのゲームの過去の思い出や、発売当時のエピソード、
   特に難しかったステージやボス戦の裏話を共有。

このように、シリーズ化し、各エピソードで取り上げるゲームの詳細な背景や特徴、当時の文化や技術の背景を交えながら紹介することで、より深みのあるコンテンツに仕上げることができます。

動画配信のネタ出し
プロンプトのバリエーション例

顔出ししないでできるネタを考えて。

1分でできる短いネタを考えて。

+α 動画の条件を細かく伝える

動画配信のネタ出しには、「こんな動画を作りたい」という希望やテーマを伝えるだけでなく、**条件などを細かく伝えてみるとよいでしょう。**

例えば、**動画の目的、媒体、視聴者層、撮影機材・編集ツール、ロケの可否、動画の長さ、自分の得意分野（普段投稿している内容やチャンネルの方向性）**など。

特に希望がなく、ざっくりとしたテーマのみを伝えると、抽象的な内容になってしまいがちです。しかし、すでに決まっている事柄を伝えたり、具体的な内容へブラッシュアップをお願いすると、より使いやすいネタに近づいていくでしょう。

活用術 67

動画にキャッチーなタイトルをつけてほしい

USER

ペット動画のタイトル案を出して①ほしい。
ペットの名前「らんらん」を入れて②、
キャッチーなタイトルにして③ほしい。

POINT
①動画のタイトル提案を指示する。
②入れたい単語や動画の内容を指定する。
③タイトルの雰囲気を指定する。

AI

ChatGPT

「らんらん」を名前として入れて、キャッチーなタイトル案を提案しますね。

1. 「ふわふわ楽園！　らんらんのかわいい日常」
2. 「笑顔保証！　らんらんの最高の瞬間集」
3. 「らんらんの大冒険！　家の中でのサバイバル」
4. 「ペット界のアイドル！　らんらんの特訓日記」
5. 「癒しの時間、らんらんとのふれあい」

これらのタイトルを参考に、動画の内容やらんらんの特徴に合わせてアレンジすることで、さらに魅力的なタイトルにすることができます！

動画のタイトルは、視聴を促す大事な要素のひとつです。タイトルが決まらないときは、ChatGPTに出力してもらいましょう。**入れ込みたい単語や動画の内容を指定する**だけで、いくつかの案を出してくれます。「キャッチーな」「インパクトのある」「真面目な雰囲気の」というように、タイトルのイメージを指定するとよいでしょう。

動画のタイトル提案
プロンプトのバリエーション例

目を引くワードを冒頭に入れたタイトル案を出して。

以下のタイトルみたいな雰囲気で、タイトル案を10個出して。

活用術

68 イメージ動画を自動生成してほしい

USER

次の動画を作成してほしい。：①

②
夏の暑い日に子どもたちがスイカを食べている動画。
BGMは明るく、ポップな雰囲気に。

POINT
▶プラグイン「Visla」を選択する。
①動画の作成を指示する。
②動画やBGMの内容を明示する。

AI

ChatGPT
動画の作成が完了しました！

・夏の子どもたちとスイカを見る
タイトル：夏の楽しみ：子ども達とスイカ

動画の保存や編集を行う場合は、次のクレームコードを使用してください。
クレームコード：XXXXXX

プラグイン「Visla」を使えば、ChatGPTにプロンプトを入れるだけで簡単に動画が作れます。プロンプトには、**希望する動画内容を入力**すればOKです。出力されたリンクをクリックし、クレームコードを入力すると、Vislaのサイト内で動画の閲覧・編集・保存を行うことができます。

ただし、動画の内容はいくつかの場面をつなぎ合わせたイメージ動画に近いです。資料で必要となった場合などに活用してみましょう。

Children having fun eating watermelon on a hot summer day.

「Visla」で出力された動画。基本的に英語のテロップや海外の素材で構成される。

活用術

69 動画のシナリオを作成してほしい

POINT

①動画のシナリオ作成を指示する。

②動画の長さや演者の人数を指定する。

③テーマを指定する。

USER

YouTubeに投稿する動画のシナリオ作成をして①ほしい。
動画の長さは15分程度で、演者は1人②。
テーマは「太陽の光を集めてモノを加熱する実験③」。

ChatGPT

タイトル：「太陽の光だけで何が加熱できる？　驚きの実験！」

[0:00-0:30] オープニングシーン
・明るく笑顔でカメラに向かって挨拶。
・「皆さん、太陽の力をどれだけ活用できるか考えたことありますか？」

[0:30-1:30] 太陽の力に関する基本的な情報
・太陽の光の強さやエネルギーについての簡単な説明。
・日常生活での太陽光の活用例（太陽光発電など）。

[1:30-3:00] 実験の紹介
・今回使う道具の紹介：拡大鏡、アルミホイル、太陽の光を集める特製のミラーなど。
・どのように太陽の光を集めるかの説明。

[3:00-5:00] 実験1：拡大鏡を使った加熱

・紙や葉を使って、焦点を絞ることでどれぐらいの速さで火がつくかを実験。
（中略）
[9:00-10:30] 実験の結果と考察
・各実験の結果を振り返り、どれが一番効率的に加熱できたか比較。
・太陽の光をうまく活用する方法や注意点について語る。

[10:30-12:00] 太陽エネルギーの未来について
・近年の太陽光発電技術や太陽光を活用した新しい技術の紹介。
（中略）
[14:30-15:00] エンディングロール
・チャンネル登録やいいね、コメントのお願い。

動画や音声を配信する場合、動画撮影や音声録音の前に動画の流れや台本を用意するとスムーズです。

動画のテーマ、長さなどをChatGPTに指示すると、それに沿った内容のシナリオを出力してくれます。出力された内容のままでは長さが足りなかったり、説明不足になったりすることもあるので、参考にしつつアレンジを加えるとよいでしょう。タイトルも一緒に出力されますが、別で出力したほうがよりよくなるようです。

動画シナリオの作成
プロンプトのバリエーション例

演者を2人にしたシナリオを作成して。

ほかのクリエイターとコラボするときのシナリオを作成して。

+α 動画のクオリティを上げる

動画配信の目的は、エンターテインメントだけではありません。広告やブランディング、情報共有（ハウツー動画、マニュアルなど）といった場合もあるでしょう。**動画の狙いをChatGPTに伝えることも重要です。**

また、「各シーンの演出やカメラワークを教えて」などとオーダーすれば、撮影や編集の参考にすることができます。

すでに出力した**シナリオと組み合わせて香盤表を作成してもらえば、撮影がスムーズに進みます。**

活用術

70 動画の台本を作成してほしい

POINT

①動画の台本の作成を指示する。
②口調や雰囲気を指定する。
③動画の内容を明示する。

USER

次の動画の台本を作成して①ほしい。

一人称は「私」で、リラックスしてフレンドリーな口調②に。

③
動画の内容：「私のモーニングルーティン」
0:00 動画の趣旨説明、1:05 起床、3:25 洗顔と歯磨き、3:55 メイク開始、5:30 準備完了、6:05 エンディング

ChatGPT

台本：「私のモーニングルーティン」

[0:00] 動画の趣旨説明
「こんにちは！ 今日はみんなに私の朝の過ごし方、いわゆるモーニングルーティンを紹介したいと思います！ どんな風に朝を迎えているのか気になる方、多いですよね？」

[1:05] 起床
「さて、まずは…起きるところから！（カメラをベッドに向ける）私はだいたい毎日この時間に起きてます。ちょっと眠い顔ですみません（笑）」

[3:25] 洗顔と歯磨き
「起きたら、まずは洗顔と歯磨き！ 気持ちよく1日をスタートするための大事な時間。私が使ってる洗顔フォームや歯磨き粉もちょこっと紹介しちゃいます！」

[3:55] メイク
「そして、次はメイクタイム！　日によって使うコスメは変わるけど、基本的なアイテムを使って、ささっと仕上げます。みんなも何かおすすめのアイテムあったら、コメントで教えてね！」

[5:30] 準備完了
「さて、メイクも完了！　これで外出準備はOK!　朝はやっぱりサクサク動きたいですよね。」

[6:05] エンディング
「それでは、私のモーニングルーティンはこんな感じ！　みんなも朝の過ごし方やおすすめのアイテムなど、コメントでシェアしてね。もし気に入ってもらえたら、いいねやチャンネル登録、よろしくお願いします！　それでは、また次回の動画で！」

この台本をもとに、必要に応じてアレンジや追加を行い、動画制作を進めてください。

動画やラジオ番組などの台本をChatGPTに作成してもらうことも可能です。**動画の内容や長さをざっくりと指定するだけでもOK**ですし、P.148～149で出力したような**動画のシナリオに沿って台本を作成してもらう形でもよい**でしょう。

また、撮影した動画に**アフレコ**で音声を入れる場合の台本作りにも活用できます。

セリフはやや短めに出力されることが多いようなので、**セリフの量を増やしてもらうなど、ブラッシュアップしていくとよいでしょう。**

音声・動画の台本作成
プロンプトのバリエーション例

さっき作ったシナリオに沿って台本を作って。

ボケ役とツッコミ役の2人の掛け合いの台本にして。

+α コンテンツに合った最適な原稿にする

ChatGPTに**お手本となる台本を読み込ませて、同じ演者による別の動画の台本を作成してもらうこともできます。**細かいセリフまわしや口調の再現度については、多少のゆれがありますが、台本のたたき台をスピーディーに作りたい場合には便利でしょう。

また、動画のなかで解説したい内容を、まずは箇条書きなどのテキストとしてまとめ、それをChatGPTに読み込ませて、**動画に適したセリフや掛け合いの台本の形に直してもらう**などの使い方もできます。

もちろん動画だけでなく、**ポッドキャスト**などの音声コンテンツの台本や、ほかのさまざまなコンテンツの台本作成にも活用できるので、新しいジャンルのコンテンツに挑戦したいときには、活用してみるとよいかもしれません。

活用術

71 テキストから音声ファイルを作成してほしい

▶プラグイン「Speechki」を選択する。
①音声変換を指示する。
②音声変換したいテキストを明示する。

USER

次の文章を音声変換して①ほしい。
「こんにちは。いい天気ですね②」

AI

ChatGPT

音声変換が完了しました！　以下のリンクから音声を聞くことができます。

こちらをクリックして音声を聞く

他の音声も気になる場合は、こちらのウェブサイトで確認できます。
名前をクリックするとIDをコピーして、チャットで使用することができます。

音声素材をAIで作成したいなら、プラグイン「Speechki」がおすすめです。入力したテキストを音声ファイルに変換してくれます。

Speechkiのサイトからナレーター一覧を確認し、ナレーターを指定することもできます。日本語の読み上げにも対応しており、男性や女性、子どもの声など、さまざまなナレーターから選ぶことができます。音声はサイト上で視聴、またはmp3形式でダウンロードすることも可能です。料金プランによって生成できる回数制限があるため、注意しましょう。

Next Step » もっと活用する！

USER
夜に聴きたい曲を紹介するラジオ配信の
導入文を作成し、音声変換してほしい。

ChatGPT
了解しました。以下の導入文を提案いたします。

「皆さん、こんばんは。
眠れない夜、心を落ち着かせる音楽と共に過ごすのはいかがでしょうか。
今夜は、そんな深夜のリスナーの皆さんに、心地よく耳に響く音楽をお届けします。
リラックスして、私たちと共に音楽の世界へ旅立ちましょう。」
このテキストを音声変換いたしますね。

音声変換が完了しました！ 以下のリンクから音声を聞くことができます。

こちらをクリックして音声を聞く

ほかの音声も気になる場合は、こちらのウェブサイトで確認できます。
名前をクリックするとIDをコピーして、チャットで使用することができます。

原稿作成と音声変換を行う

原稿作成と音声変換を同時に行うことも可能です。
左のプロンプト例のように、原稿のテーマを指定し、
出力の結果を音声変換してほしい旨を伝えましょう。

テキストの音声変換
プロンプトのバリエーション例

ナレーターは「○○○○IDXXXX」の声で
生成して。

次の文章を英訳して読み上げてほしい。

+α より自然な音声に変換する

音声変換すると、やや無機質な読み上げの印象になることもあるでしょう。その場合、**句読点を適切に使うことで自然なリズムになる可能性があります。**また、**テキスト自体が短めになるよう意識し、自然な言い回しになるよう工夫をしてみましょう。**

このほかにも、同じような音声変換のプラグインとして「**VoiceOver**」もあります。Speechkiでは音声スタイルの指定がナレーター別になっていますが、VoiceOverは「conversation（カジュアルな会話）」、「audiobook（オーディオブックスタイル）」といった場面に合わせて指定することもできます。日本語にも対応できますが、現段階では日本人ナレーターの音声はないようなので、やや不自然な読み上げになる場合があります。

活用術

72 動画の要約や解説をしてほしい

POINT

▶プラグイン「VideoInsights.io」を選択する。

①動画の要約を箇条書きでまとめることを指示する。

②動画のURLを指定する。

USER

次の動画を箇条書きで要約してほしい。①：

https://www.youtube.com/watch?v=lQpTSVhWpt4②

ChatGPT

動画のタイトル：

Gakken合体生物が作れる新シリーズ！　メタルキットプラス「ティラノサウルス」

動画の詳細：

・大人気のメタル工作シリーズが、リニューアル新発売。

・金属光沢がかっこいい、迫力あるフィギュアが作れるメタル工作シリーズ。

・新シリーズの特長は、付属のジョイントパーツで生物どうしを合体させて、オリジナルの合体生物（キメラ）が作れるところ。

・パーツを自由に組み合わせて、「魔改造」を楽しもう！（以下略）

動画コンテンツの内容を手っ取り早く把握したいときにも、ChatGPTを活用できます。プラグイン「**VideoInsights.io**」を使えば、**動画のURLを指定するだけで動画の内容や情報を簡潔にまとめてくれます。**

特に尺の長い動画や、複数の動画から情報を集めたいときなどにはとても便利なツールでしょう。ただし、要約可能な動画の長さは45分くらいまで。それ以上長いと動画を読み込めないので注意しましょう。

Next Step >> もっと活用する！

記事を作成する

動画の要点をまとめた出力を利用して、記事を作成してみましょう。

USER

要点を絞って、ネットニュース風の記事にまとめて。

ChatGPT

【新商品】Gakkenが発表!「メタルキットプラス」でオリジナルの合体生物を作成
2022年11月29日

Gakkenが人気のメタル工作シリーズの新商品「メタルキットプラス」を発表。
今回のシリーズの特長は、付属のジョイントパーツを使用して、
異なる生物を合体させ、オリジナルの合体生物（キメラ）を作成できる点にある。

この新シリーズの第一弾として、「ティラノサウルス」のキットが登場。
金属の光沢が特徴的で、迫力あるフィギュアを自分の手で作成することができる。
さらに、複数のキットを組み合わせることで、
独自の「魔改造」を楽しむことも可能となっている。

対象年齢は10歳から大人までと幅広く、組立時間は約120分。
合体生物の作り方や詳細は公式サイトや動画で紹介されている。
この新シリーズは、工作好きやフィギュアコレクターにはもちろん、
家族や友人とのクリエイティブな時間を楽しむためのアイテムとしても注目されている。

動画の要約
プロンプトのバリエーション例

動画の見どころをブログ記事風にまとめて。

動画の内容を翻訳して簡単にまとめて。

+α 出力を利用して文章にまとめる

動画の要点を箇条書きなどにまとめる以外にも、**「ネットニュース風の記事にして」「見どころをブログ記事風にして」「小学生でもわかる言葉でまとめて」**など、文章の雰囲気を伝えると、その口調での出力が可能です。

また、**複数の動画をひとつのプロンプトにまとめて、要点や分析内容を出力してもらうこともできます。**複数のリンクを送るだけでOKなので、さらに効率をアップさせたいときに便利な手法です。

解説動画の要約だけでなく、ミュージックビデオの見どころを解説してもらったり、外国語の動画を日本語で要約してもらったりと、さまざまな活用方法がありそうです。

活用術 73 動画の字幕テキストを作成してほしい

USER

以下の動画の字幕テキストを作成して①ほしい。:
https://youtu.be/--khbXchTeE②

POINT
▶プラグイン「VideoInsights.io」を選択する。
①動画の字幕テキスト作成を指示する。
②動画のURLを指定する。

AI ChatGPT

もちろん、以下が動画「Introducing GPT-4」の文字起こしです:

GPT-4 takes what you prompt it with and just runs with it.
From one perspective, it's a tool,
a thing you can use to get useful tasks done in language.
From another perspective, it's a system that can make dreams,
thoughts, ideas, flourish in text in front of you.
GPT-4 is incredibly advanced and sophisticated.
It can take in and generate up to 25,000 words of text,
around eight times more than ChatGPT.

前の活用術で紹介したプラグイン「VideoInsights.io」を応用して、動画の字幕テキストを作成することも可能です。

テキスト作成の指示と動画のURLをプロンプトに入力すればOK。和訳したいときは、「**和訳してほしい**」とプロンプトに入力しましょう。また、現時点では日本語の動画だとうまくいかないことが多く、主に英語の動画に字幕をつけたいときや、文字起こしをしたいときに活用できそうです。

動画の字幕テキスト作成
プロンプトのバリエーション例

次の韓国語の動画の字幕テキストを作成し、日本語に翻訳してほしい。

字幕テキストの文法をチェックして、修正してほしい。

活用術 74

テキストを読み上げる動画を自動生成してほしい

USER

女性のアバターを使って、次の動画を作って①ほしい。

② タイトル：「あいさつ」
テキスト：「みなさん、お元気ですか？　今日もがんばりましょう！」

POINT

▶プラグイン「HeyGen」を選択する。
①アバターを指定し、動画作成を指示する。
②タイトルとテキストを明示する。

AI

ChatGPT

動画を作成しました！　以下のリンクからご覧いただけます。

あいさつの動画を見る

動画の処理が完了するまで、ローディングメッセージが表示される場合があります。
その場合は少し待ってから再度アクセスしてください。
動画の処理には1〜5分ほどかかることがあります。

プラグイン「HeyGen」では、**アバターがテキストを読み上げる動画を自動生成することができます**。アバターは性別を男性または女性から選択し、肌の色を、light（明るい）、dark（濃い）、asian（アジア人）の中から選択することができます。「HeyGen」の公式サイト（https://www.heygen.com/）からは、多様なアバターやテンプレートの選択のほか、オリジナルのアバターの作成もできますが、現段階のChatGPTのプラグインでは、上記の選択肢のみとなっているようです。

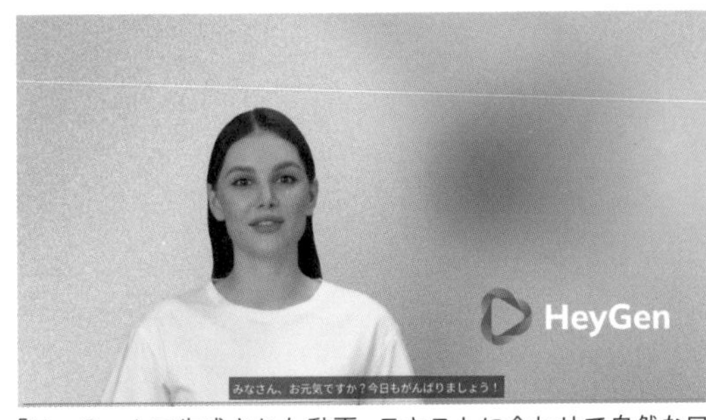

「HeyGen」で生成された動画。テキストに合わせて自然な口の動きで話してくれる。

活用術
75 ゲームのコンセプト案を出してほしい

POINT

①ゲーム機（媒体）を指定する。
②ゲームのジャンルを指定する。
③コンセプト案の提案を指示する。

USER
スマートフォン[①]用アクションRPG[②]のコンセプト案を出して[③]ほしい。

ChatGPT
スマートフォン用アクションRPGのアイデアをいくつか提案させていただきますね。

1. 時空の冒険者：タイムクロニクル
   プレイヤーは時空を旅する冒険者として、異なる時代や世界を訪れることができるゲームです。過去の歴史上の出来事や神話的な時代を舞台に、さまざまなミッションやクエストをこなし、タイムラインを守るために戦います。

2. 幻獣バトルオデッセイ
   プレイヤーは幻獣使いとして、広大なファンタジー世界を冒険します。幻獣たちは個性豊かで育成可能で、戦闘では幻獣との連携が鍵となります。プレイヤーは幻獣のスキルや進化を駆使してモンスターや敵とのバトルに挑み、壮大なストーリーを進めていきます。

3. スチームパンク：クロニクル・エンジン
   スチームパンクな世界観を舞台にしたアクションRPGです。プレイヤーはクロニクル・エンジンと呼ばれる特殊な機械を操作し、謎のテクノロジーを解明しながら、町や空中都市を探索します。

Next Step ≫ もっとよくする！

出力されたアイデアからひとつ選んで、詳しく掘り下げてみましょう。世界観やキャラクター、ゲームルールについてのより詳しいアイデアを考えてもらえます。

USER

案2の「幻獣バトルオデッセイ」について詳しく教えてほしい。

ChatGPT

もちろんです！ 以下に「幻獣バトルオデッセイ」について詳しく説明します。

タイトル：幻獣バトルオデッセイ

ゲーム概要：

「幻獣バトルオデッセイ」は、ファンタジーの世界を舞台にしたアクションRPGです。
プレイヤーは幻獣使いとなり、多様な幻獣たちと連携しながら冒険を進め、
謎や敵とのバトルを通じて世界を救う冒険に挑みます。

特徴：

・幻獣の育成と連携：プレイヤーはさまざまな種類の幻獣を捕獲し、育成します。それぞれの幻獣は個性的なスキルや能力を持ち、プレイヤーはこれらを駆使してバトルで戦略的に活用します。また、幻獣同士の連携やコンボを組むことで強力な攻撃が可能となります。

・広大なファンタジー世界：ゲーム内には多彩なエリアや地域があり、森、砂漠、氷原などさまざまな環境が用意されています。プレイヤーはこれらのエリアを探索し、クエストやミッションをこなすことでストーリーを進めます。

・エピックなストーリー：プレイヤーは「幻獣バトルオデッセイ」の世界で重要な役割を果たす存在として、邪悪な勢力や謎の力と対峙します。

・カスタマイズと進化：幻獣はレベルアップや進化を通じて強化できます。また、幻獣ごとに装備品やアクセサリーを装備させることで、さらなる戦闘力の向上が可能です。プレイヤーの戦略や好みに合わせて幻獣をカスタマイズしましょう。

・オンライン要素：プレイヤー同士が協力して強力なボスやイベントに挑むマルチプレイモードが用意されています。友達と一緒に協力して難敵に立ち向かう楽しみがあります。

作成したいゲームジャンルのアイデアがなかなか思い浮かばない、どのような世界観のゲームを作成するか悩んでいる、というようなときにも、ChatGPTを活用することができます。**作りたいゲームの媒体やジャンルを指定することで、ゲームのコンセプト案をもらうことができます。**各アイデアを参考に自分でストーリーや世界観を組み立てて、オリジナリティあふれるゲームを作成してみましょう。

活用術

76 ゲームのルールを設定してほしい

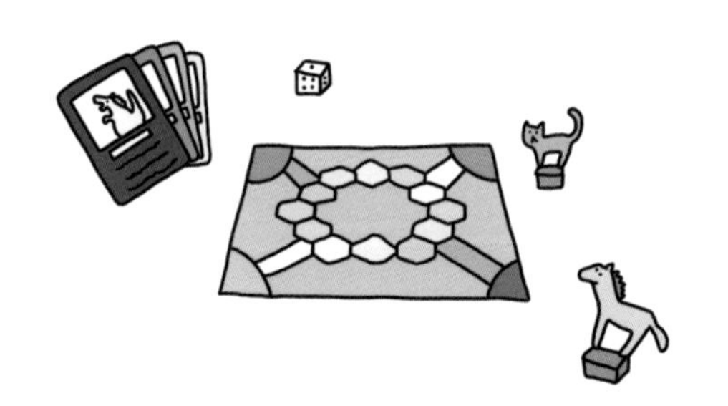

POINT

①ゲームのジャンルやターゲットを指定する。
②ゲームの種類を指定する。
③ルール設定を指示する。

USER

動物をテーマにした、子ども向け①の
ボードゲーム②のルールを設定して③ほしい。

AI

ChatGPT

以下は、動物をテーマにした子ども向けボードゲームの簡単なルールの提案です。

ゲーム名：動物冒険ランド
プレイ人数：2〜4人
対象年齢：6歳以上

ゲームの目的：
プレイヤーは、動物たちが住む冒険ランドを探検し、
さまざまなミニゲームやチャレンジをクリアしながら、ポイントを集めます。（中略）

プレイの流れ：
ターンごとに、プレイヤーはサイコロを振って進むマスの数を決定します。
サイコロの目の数だけ進み、指示に従ってアクションを実行します。
エリアに止まったら、そのエリアのカードを引きます。カードにはミニゲームや
チャレンジの説明が書かれており、プレイヤーはそれに従ってゲームをプレイします。
ミニゲームをクリアすると、ポイントを獲得します。

難易度に応じて異なるポイントが与えられます。
ゲームボード上には特別なアイテムやボーナススペースが存在し、
そこに止まると追加のアクションやポイントを獲得できることがあります。
最後に、プレイヤーはカードをデッキに戻し、次のプレイヤーにターンを渡します。

ゲームの終了と勝利条件：
事前に決めたラウンド数のプレイ後、最も多くのポイントを獲得したプレイヤーが勝利。

注意：
ミニゲームやチャレンジの内容は、子どもたちの年齢や能力に合わせて調整してください。
ルールはあくまで提案であり、プレイヤーの楽しさを最優先に考えて調整してください。

ゲームには厳格な**ルール設定**が必要ですが、まずはルールのたたき台やアイデアがほしいというとき、ChatGPTにゲームジャンルやターゲットを指定すると、簡単なゲームルールを作成してくれます。**デジタルのゲームコンテンツだけではなく、アナログゲームの制作にも活用できます。**

ターゲットを指定するのはゲームの**難易度設定**のためなので、「やさしめ」「難しめ」などの指定でもよいでしょう。出力されるゲームルールは単純なものが多いので、アイデアとして参考にするとよいゲームを作ることができます。

ゲームルール考案
プロンプトのバリエーション例

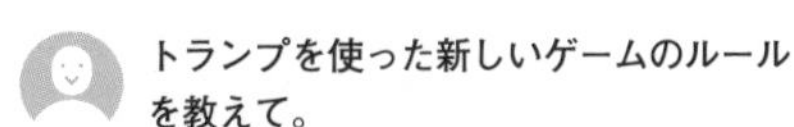

トランプを使った新しいゲームのルールを教えて。

さっき考えたアクションRPGのバトルルールを設定して。

+α ルールの調整は自分で

ChatGPTに**ゲームルール**を作成してもらう際、注意点がいくつかあります。

まず**ゲームバランス**についてです。ChatGPTが提案するルールは、不均等なルールが生成されることもあります。そのため、**最終的なゲームバランスの調整は自分で行ったほうがよさそうです。**

また、ChatGPTが作成したルールに基づいてゲームを行うと、スムーズな進行ができないなどの不具合が生じてしまう場合があります。これも**自分でテストプレイを行い、調整が必要な箇所を見つけ、その都度修正をするとよいでしょう。**

すべてをChatGPTに任せるのではなく、アイデアの大枠を決めてもらい、細かな調整は自分で行うと、効率よくルール設定ができます。

活用術

77 ゲームのストーリーやクエストを作成してほしい

POINT

①ゲームのジャンルや世界観を指定する。

②クエストが発生する際のゲームの進行度や場所を指定する。

③ストーリーとクエストの考案を指示する。

USER

プレイヤーが旅をするRPG①を作成したい。
2つ目にたどり着く村②での、
ストーリーとクエストを考えて③ほしい。

ChatGPT

もちろんです！ 2つ目の村でのストーリーとクエストのアイデアを提案しますね。

ストーリー背景：
プレイヤーは冒険の旅を続けていて、最初の村を離れて2つ目の村に到着します。
この村は広大な森に囲まれ、古代の神秘的な力が漂っているといわれています。
村の人々は自然との調和を大切にし、森に住む精霊たちとも共存しています。
しかし最近、森の奥深くで異変が起こっており、精霊たちが不穏な動きを見せています。

クエスト：森の異変
村の長老がプレイヤーに森の調査を依頼します。精霊たちが不安定になっている
理由を探り、彼らの力が暴走する前に阻止する必要があります。
プレイヤーは深い森へと進み、古代の神秘を解明しながら、異変の原因を突き止める
旅に出ます。途中、魔法生物や謎のクリーチャーとの戦闘が待ち受けます。

これらのストーリーやクエストは、プレイヤーの興奮を高めることができるでしょう。

Next Step >> もっとよくする！

USER
村人に話しかけると発生するサブクエストを作成してほしい。

サブクエストを作成する

ストーリーイベントとは別のサブクエストがあると、ゲームの進行にメリハリがつきます。いくつかサブクエストのアイデアも出してもらいましょう。

ChatGPT
もちろんです！ 以下に、村人との会話から発生するサブクエストのアイデアをいくつか提案します。

1. 失われたペットの探索
   村の子供が大切なペットを失くしてしまい、プレイヤーに助けを求めてきます。プレイヤーは村の周辺や森を探索してペットを見つけ、子どもの笑顔を取り戻します。
2. 農作物の異変
   農夫が畑の作物が突然育たなくなったことに困っています。プレイヤーは畑の調査を行い、原因を突き止めるために害虫や呪いと戦わなければなりません。
3. 行方不明の旅人
   村に泊まっていた旅人が突然行方不明になりました。プレイヤーは彼の最後の足跡をたどり、彼を見つけるための手がかりを集めます。

これらのサブクエストは、プレイヤーに村人たちとの関わりや深い世界観を提供し、ゲームのバラエティと興奮を増加させることができるでしょう。

RPGなどのゲームを制作する際には、メインストーリーはもちろん、さまざまな**クエスト**の作成が必要です。ChatGPTに指示をすれば、短時間に多くのクエストを作成することができます。

プロンプトには**クエストが発生する際のゲームの進行度や難易度など、なるべく詳しく条件を指定しましょう**。それによって、作成中のゲームに合った出力を期待できます。

+α ChatGPTでゲームの世界を深める

メインストーリーには直接関わらない**サブクエスト**もゲームの構成にとって重要な要素です。クエスト内容についてはもちろん、**クエスト達成でプレイヤーが得られる報酬や、クエストの受け方に関するアイデアを得ることもできます。**

さらに、ゲーム開始時のチュートリアルイベントや、ユーザーの選択によって分岐するイベントを考えることで、ゲームの世界をより深めることができます。このような部分を考える際にもChatGPTを活用できるでしょう。

活用術

78 ゲーム内のアイテム名や説明文を作成してほしい

USER

以下はスイーツをモチーフにしたパズルゲーム①のアイテムです。
それぞれに名前をつけて、説明文を作成して②ほしい。

③
1. 横一直線にブロックを消すことができるアイテム
2. 最も多いスイーツのブロックをすべて消すことができるアイテム

POINT

①コンセプトやジャンルを指定する。
②名前と説明文の作成を指示する。
③アイテムの内容を明示する。

AI

ChatGPT

1. 名前：星のレーザー（Star Laser）
   説明文：宇宙の深い闇から放たれる星のレーザー。一度発動すると、その力でブロックの列を完全に吹き飛ばす！

2. 名前：カラー・ブラックホール（Color Black Hole）
   説明文：ブラックホールの力を模倣した不思議なアイテム。最も多い色のブロックをすべて吸い込んで消し去る！

ゲームのコンセプトに合わせて、ゲーム内に登場するさまざまなアイテムの名前や説明文をChatGPTに考えてもらうこともできます。もちろん、**武器や装備品の説明文や、マップ上に表示される街の説明文など、アイテム以外のさまざまな用途にも使えます。**細部の設定や表示用テキストをすべて考えるのは膨大な労力がかかることですが、ChatGPTにまとめて作成をしてもらえば、短時間で完成に近づくことができるでしょう。

ゲーム内の説明文作成
プロンプトのバリエーション例

ゲーム内のアイテムの効果と種類を考えてほしい。

マップ上に表示される街の説明文を作成してほしい。

活用術

79 キャラクター同士の会話やセリフを作成してほしい

USER

RPGのチュートリアル①における、
プレイヤーとNPCキャラクター②の会話を作成して③ほしい。

POINT

①ゲームの設定やシーンを指定する。
②対象となるキャラクターを指定する。
③会話の作成を指示する。

ChatGPT

キャラクターA：エリンダルへようこそ、旅の者よ。この街は古きよき時代の面影を残しつつ、新たな冒険のチャンスが待っているのじゃ。

プレイヤー：ありがとう、旅の疲れがちょっと癒されそうだな。この街、どんな特徴があるんだ？

キャラクターA：ここエリンダルは、魔法と技術が共存する魅力的な場所じゃ。魔法使いたちの魔法学院があり、新たな呪文やアルケミーの秘術を学べるのじゃよ。それと同時に、工匠たちが驚くべき武器や防具を作り上げているのも見逃せんな。

プレイヤー：魔法学院と工匠の工房か。なかなか興味深そうだな。

キャラクターA：街の人々は互いを尊重し、共に協力して生活しておる。冒険者同士も、情報交換や協力を求め合うことが多いぞ。商人たちはさまざまな貴重なアイテムを取り揃えており、交易も盛んじゃ。ただし、政治的な陰謀や険悪な勢力も街の裏側には存在するのじゃ。気をつけておくがよい。

プレイヤー：分かった。ありがとう。さあ、街の探索と冒険を楽しんでみるか。

ゲームではキャラクターがさまざまな会話をしてストーリーが発展していきます。**NPCキャラクターのセリフ**や、さらにはイベントストーリーやクエスト中の会話まで生成できるのがこのプロンプトです。上の例では簡単に指定していますが、実際には、**ゲームの設定やシーンを詳細に指定する**とよいでしょう。

Chapter 0 1 2 3 4 5 6

活用術

80

ゲームのコードを書いてほしい

P
POINT

①プログラミング言語を指定する。
②システムの詳細を指定する。
③コードの作成を指示する。

USER

JavaScript①で、動き回る玉から逃げるゲーム②のコードを書いて③ほしい。

AI

ChatGPT

以下のシンプルなゲームの仕様を考えました：

1. キャンバス上にプレイヤー（四角形）と玉（円）が表示される。
2. プレイヤーは矢印キーで動かせる。
3. 玉はランダムに動き、一定時間ごとに速度が上がる。
4. プレイヤーが玉に触れるとゲームオーバー。

以下がそのコードです：

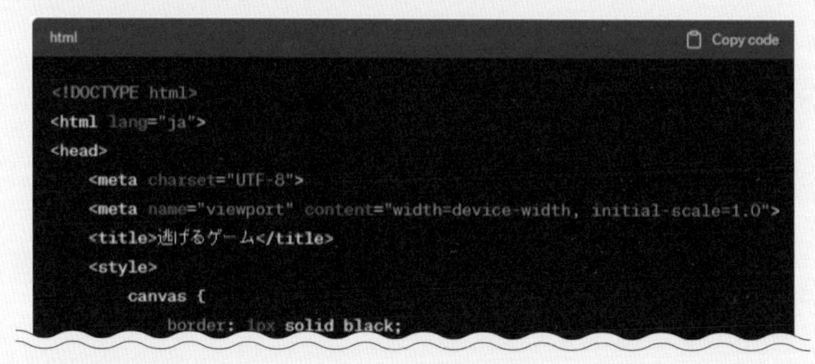
html
Copy code
<!DOCTYPE html>
<html lang="ja">
<head>
<meta charset="UTF-8">
<meta name="viewport" content="width=device-width, initial-scale=1.0">
<title>逃げるゲーム</title>
<style>
canvas {
border: 1px solid black;

Next Step >> もっとよくする！

USER
実行環境がない。どうすればプレイできる？

ChatGPT
上記のゲームをプレイするための手順を以下に示します。

1. HTMLファイルの作成：新しいテキストファイルを作成し、その内容として上記のHTMLコードをコピーします。ファイル名をindex.htmlとして保存します。

2. JavaScriptファイルの作成：新しいテキストファイルを作成し、その内容として上記のJavaScriptコードをコピーします。ファイル名をgame.jsとして保存します。

3. ファイルの配置：両方のファイル（index.htmlとgame.js）を同じディレクトリ（フォルダ）に置きます。

4. ゲームの実行：ディレクトリに移動し、index.htmlファイルをダブルクリックすると、デフォルトのウェブブラウザでゲームが開始されます。

実行の方法を聞く

せっかく作成したゲームならプレイしてみたいもの。しかし、どうすればゲームを実行できるかわからない場合、その方法を聞いてみましょう。

ChatGPTにプログラミングを行ってもらうことも可能です。**簡単なゲームのシステムであれば、あっという間にコードを作成してもらうことができます。**プログラミング言語の種類は、特に希望がなければ指定しなくてもOK。ChatGPTが選んで生成してくれます。作りたいゲームの詳細を指定すれば、そのシステムが実行できるコードが出力されます。右上にある「Copy Code」をクリックするとコードをコピーすることができます。プログラミング初心者でもゲームを実装できる大きな手助けになるでしょう。

+α プログラミングの知識がゼロでもゲームを作れる!?

プログラミング初心者の人たちにとって、ChatGPTは、ゲーム制作のハードルを大きく下げてくれる存在ではないでしょうか。簡単なゲームであれば、プログラミングの知識がゼロであっても、ChatGPTを使って、数分でゲームが作れてしまう時代となりました。

「Unity」などのゲーム開発用プラットフォームを使用する場合にも、「**Unityでこのように動作させるためのコードを教えて**」とChatGPTに聞いてみることで、最適なコードをリアルタイムで学ぶことができます。

また、単にコードを教えてもらうだけでなく、**それぞれのコードがなぜそのように動作するのか、やさしく解説してもらうこともできる**ため、プログラミング初心者の強い味方と言えるでしょう。

ただし、**ChatGPTが誤ったコードやアドバイスを生成することもあります。**そのため、ChatGPTの回答をうのみにせず、ほかの情報源と照らし合わせながら利用していきましょう。

活用術

81 コードのエラーを修正してほしい

POINT

▶「Advanced Data Analysis」を選択する。
①コードが書かれているファイルを添付する。
②エラーの内容とコードの修正を指示する。

USER

[ファイルを添付]①

添付したコードに下記のエラーが出た。修正して②ほしい。

エラー表示：Just HTML that goes in the <body> goes here.

AI

ChatGPT

提供されたコードを確認しました。指定されたエラーは、
特定のオンラインエディタやプラットフォームが
HTMLの<body>タグ内のみのコードを受け入れる場合に発生する可能性があります。

コードを<body>タグ内のみに制限するための手順は以下の通りです。

1. <head>タグ内の内容を削除します。
2. <html>,<head>,</head>,</html>, および<body>タグも削除します。

これにより、<body>タグ内のみのコードが残ります。
このコードをオンラインエディタやプラットフォームにペーストしてください。

以下は、<body>タグ内のみのコードを取得したものです。:

```html
<script src="https://cdnjs.cloudflare.com/ajax/libs/p5.js/1.7.0/p5.min.js"
（中略）
if (this.position.y < 0 || this.position.y > height) {
    this.velocity.y *= -1;
}
display() {
    fill(255, 0, 0);
    ellipse(this.position.x, this.position.y, this.radius * 2);
}
```

このコードをオンラインエディタやプラットフォームにペーストして、
動作を確認してみてください。

実行したらエラーが発生したけれど、どこを直せばよいのかわからない。そんなとき、ChatGPTが活躍します。「Advanced Data Analysis」機能でテキストを添付するか、無料版の場合はプロンプトにコードをそのまま貼り付けるなどして、コードを読み込ませます。そして、表示されたエラーメッセージを指定し、**修正してほしいと指示すると、エラーを解決するための方法を教えてくれます。**また、修正したコードを生成してくれますので、そのまま活用することも可能です。

コード修正
プロンプトのバリエーション例

キャラクターをジャンプさせるためには、どう修正すればよい？

+α ChatGPTでコードを理解する

ゲーム制作は、グラフィックやサウンド、ストーリーなど、多岐にわたる要素がからみ合う、複雑なプロセスが必要となります。特に、**プログラミング**はゲームの要とも言える部分です。そんななか、ChatGPTはゲーム開発者たちの強力なサポートツールとして注目されています。

例えば、ゲーム制作を進める最中で、「あのコード、何だったっけ?」という瞬間があったとき、**ChatGPTにコードの一部や動作を尋ねることで、忘れてしまった部分や曖昧な点を明確にすることができます。**

また、上記の例のように、ChatGPTに**エラーメッセージを共有**するだけで、**その原因や解消方法についてのヒントを即座に得ることができる**のも非常に便利な用途です。

さらに、ChatGPTによって生成されたコードは、そのまま使用するだけでなく、要素を追加して生成し直すことや、オリジナルアイデアのベースとして利用することもできます。

このように、ChatGPTを活用することで、より効率的なゲーム制作を進めることができると期待されています。

カスタム指示でパーソナライズ

「カスタム指示」機能とは？

ChatGPTに追加された便利な新機能として、「カスタム指示（Custom instructions）」があります。あらかじめChatGPTに固定しておきたい指示を設定することで、自分の状況や目的に合わせてChatGPTの回答をパーソナライズできる機能です。現在、無料版でも使用することができます。

「カスタム指示」の設定方法

チャット画面左下のアカウント名（メールアドレス）を押すと表示されるメニュー一覧の中から「Custom instructions」を選択すると、入力欄へと進むことができます。

入力欄は2つあり、❶は「What would you like ChatGPT to know about you to provide better responses?（よりよい応答を提供するために、ChatGPTにあなたについて何を知っておいてもらいたいですか?)」という欄です。「あなたはプロの小説家です」「私は親子向けのコンテンツの開発を行っています」など、ChatGPTに与えたい役割や、自分の立場、使用する目的などを固定したい場合は、ここで指定するとよいでしょう。

❷は、「How would you like ChatGPT to respond?（ChatGPTにどのように応答してほしいですか?)」というものです。「やさしい言葉で解説してください」「カジュアルな言葉で回答してください」「表形式で出力してください」など、固定したい出力の条件について指定するとよいでしょう。

一度設定すれば、毎回の指示が不要

カスタム指示を設定すると、それ以降に開始したすべてのスレッドで、自動的にカスタム指示を踏まえた出力文になります。毎回同じ指示をする必要がなくなるので便利ですが、さまざまな目的でChatGPTを使用する場合は、ある程度汎用性の高い指示にする必要があるでしょう。

なお、カスタム指示を一時的に無効にしたいときは、画面左下にある「Enable for new chats」のスイッチをオフにすればOKです。

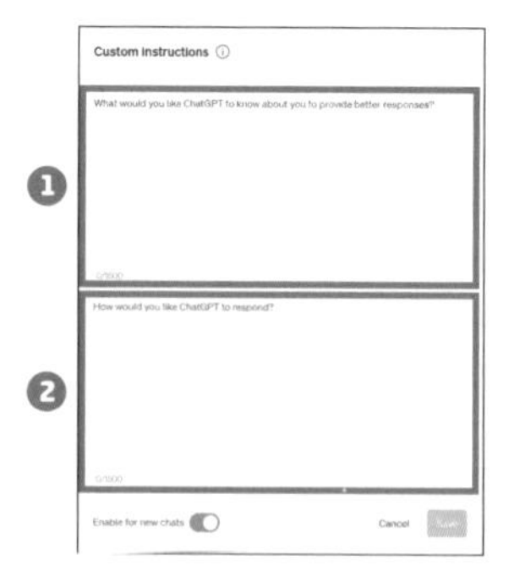

「カスタム指示（Custom instructions）」の設定画面。長めの指示も入力可能。

Chapter

5

クリエイターの事務作業のための活用術

活用術

82 クライアントへのメールを作成してほしい

POINT

①立場を明確にする。

②売り込みメールの作成を指示する。

③入れてほしい内容を明示する。

USER

私はフリーランスのイラストレーター①です。

下記の内容を入れた、出版社への売り込みメールを考えて②。

③
- あいさつ文
- イラストの特徴：ほっこりする柔らかいタッチ
- 強み：子ども向け、女性向けなど幅広く対応できる

ChatGPT

件名：イラストレーション提供について

お世話になっております。
フリーランスのイラストレーターとして活動しております○○と申します。
ほっこりする柔らかいタッチのイラストを得意としており、
子ども向けから女性向けまで幅広く対応いたします。興味をお持ちいただけましたら、
ぜひウェブサイトをご覧いただければと思います。
詳細な作品を掲載していますので、ぜひご参考にしてください。
また、是非一度お会いして直接ご相談させていただける機会をいただければ幸いです。
何かご質問等ございましたらお気軽にお知らせください。
お忙しいところ恐れ入りますが、何卒よろしくお願いいたします。
[名前][メールアドレス][連絡先番号]

Next Step >> もっとよくする！

✧ 打ち合わせの日程調整をする

あらかじめ条件を用意しておき、プロンプトに入力しましょう。シンプルに伝えればOKです。

USER
○○様に、打ち合わせの日時調整のメールを書いて。候補日：8月15日午前、8月18日午後。方法：対面またはリモート

ChatGPT
件名：打ち合わせの日時調整につきまして

○○様
いつもお世話になっております。[あなたの名前]です。
ミーティングの日時調整についてご相談させていただきたく、
メールさせていただきました。
以下の日程候補をご提案させていただきます。
　8/15（火）午前
　8/18（金）午後
ミーティングの方法については、対面かリモートのどちらでも対応可能です。
お手数をおかけいたしますが、
ご都合のよい日時および方法をお知らせいただければ幸いです。
何かご質問等がございましたら、お気軽にお知らせください。よろしくお願いいたします。

クリエイターのなかには、メールを書くのが苦手という人もいるのではないでしょうか。ChatGPTにお願いすれば、さまざまな目的のビジネスメールを作ってくれます。プロンプトのコツは、**メールの目的や盛り込みたい内容、注意事項などを箇条書きで伝える**ことです。例えば、フリーランスの営業メールなら「自分の強み」や「得意分野」、「どういった仕事をしてきたのか」などのポイントをまとめれば、上手にアピールできる文面になるでしょう。

+α ChatGPTのメールにはクセがある!?

ChatGPTが考えるメールの文章は、不自然だったり、間違いが含まれていたりするケースが多いため、**送信前に自分で必ずチェックする必要があります**。例えば、メールの最初に「拝啓」、最後に「敬具」と入っていることがありますが、通常のビジネスメールには必要ありません。あらかじめ「拝啓と敬具は不要」などと指示しておいてもよいでしょう。

またChatGPTは、学習したルールに従って文章を出力するので、メールを受け取る相手に、不快感を与える表現が含まれる場合があります。送信相手に敬意を払った表現になっているか、状況や内容に合った言葉選びかどうかを確認し、違和感があるときは手動で適切な表現に修正しましょう。

ほかにも、「○○様、」のように相手の名前に読点をつけたり、「こんにちは」のようなあいさつで始まったりと、**一般的な日本のビジネスメールのルールとは異なる言い回しをする場合があります。**

望み通りの完璧なメールをChatGPTに書いてもらうのは難しいので、あくまでも**下書き**として活用し、必要に応じて微調整するとよいでしょう。

活用術

83 お礼のメールを作成してほしい

①送信先が誰かを指定する。
②お礼メールの作成を指示する。
③入れてほしい内容を明示する。

USER

はじめて取引をするクライアント①に送る、受注依頼へのお礼のメールを書いて②。以下の内容を盛り込んで。

③
・本日は、忙しいのに時間を割いて会ってくれてありがとう。
・満足してもらえるように頑張ります。
・デザイン案は今週金曜日までに送る。

ChatGPT

件名：本日のお打ち合わせ、ありがとうございました

[クライアントの名前]様、
先日はお忙しい中、お時間を割いて会っていただき、誠にありがとうございました。
この度のご依頼、心より感謝申し上げます。[クライアントの名前]様にご満足いただけるよう、最善を尽くして取り組ませていただきます。
デザイン案については、今週の金曜日までにお送りさせていただきます。
何かご質問やご要望がございましたら、お気軽にお知らせください。
今後ともどうぞよろしくお願い申し上げます。

[あなたの名前]
[連絡先情報（電話番号やメールアドレスなど）]

Next Step » もっとよくする！

USER
同じ相手に、資料を受け取ったことと、そのことへのお礼メールを書いて。

AI ChatGPT
件名：資料の送付、ありがとうございます

[クライアントの名前]様、
お忙しい中、資料をお送りいただき、ありがとうございます。
無事に受け取りを確認いたしました。
詳細に目を通させていただきますので、もし何か不明点や追加の質問がございましたら、
改めてご連絡させていただきます。
この度は、迅速な対応をいただき、誠に感謝しております。
今後ともよろしくお願い申し上げます。

[あなたの名前]
[連絡先情報（電話番号やメールアドレスなど）]

メールで資料送付のお礼をする

お礼メールを書いてもらうときは、「送ってくれた資料を受け取った」など、何のお礼なのかをできるだけ具体的にメール内容として指示しましょう。

ビジネスの関係者と良好な関係を築くためには、感謝の気持ちをしっかりと相手に伝えることが重要です。初対面のあと、仕事が一区切りしたとき、資料などを送ってもらったときなど、シーンに応じたお礼のメールを送りたいものです。

ChatGPTで**お礼メールの下書きを作成してもらえば、短時間でメールの文面を完成させることができます。**プロンプトでは、「はじめて取引するクライアント」のように、メールの宛先を指定しておきます。メールの宛先に応じて、ChatGPTに本文のトーンを調整してもらうことができます。その回答をもとに、不自然な文章があれば適宜修正を加えるとよいでしょう。ビジネス相手との関係性に合った表現になるように整えていくことがポイントです。

+α 季節に合ったあいさつ文をメールに入れてみよう

用件を相手にわかりやすく伝えることが最重要であるビジネスメールでは、**時候のあいさつ**を省略して、「お世話になっております」のような簡単なあいさつをしてすぐに本題へ移行するのが一般的です。

しかし、季節感を取り入れた気の利いたあいさつ文を入れたい場合もあるかもしれません。そんなときはChatGPTにその旨を伝えてみましょう。例えば「**初夏の季節を感じさせるメールの書き出しを考えて**」とプロンプトを入力すれば、「初夏の爽やかな風が心地よく感じられる今日この頃、お元気にお過ごしのことと思います」といった具合に、季節に合ったフレーズで回答してくれます。

活用術

84 謝罪のメールを作成してほしい

①送信先が誰かを指定する。
②謝罪メールの作成を指示する。
③入れてほしい内容を明示する。

USER

クライアント①への謝罪メールを作成して②ほしい。次の内容を入れて。

③
・原稿作成に時間がかかっていて、本日中の納品は難しい。
・遅れてしまい申し訳ないが、明日の15時までには必ず納品する。

ChatGPT

件名：納品に関するお知らせとお詫び

[クライアントの名前]様、
いつもご依頼いただき、誠にありがとうございます。大変恐縮ですが、原稿作成にお時間をいただいており、本日中の納品が難しい状況となってしまいました。
この度は、予定をお知らせしておきながら遅延することとなり、深くお詫び申し上げます。お手数をおかけいたしますが、明日の15時までには確実に納品させていただきます。
[クライアントの名前]様には大変なご迷惑をおかけする形となり、心よりお詫び申し上げます。今後はこのようなことがないよう、納品に関する管理体制を見直し、改善に努めて参ります。

何かご不明点やご質問がございましたら、お気軽にご連絡ください。何卒、ご理解のほどよろしくお願い申し上げます。

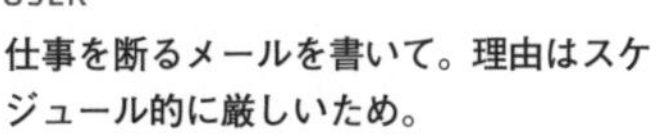

USER
仕事を断るメールを書いて。理由はスケジュール的に厳しいため。

ChatGPT
件名：ご依頼案件につきまして
[相手の名前]
お世話になっております。[あなたの名前]と申します。
先日はご連絡いただき、ありがとうございました。
誠に申し訳ございませんが、今回の仕事については、私のスケジュールが合わず、協力することが難しい状況となっております。
せっかく声をかけていただいたにもかかわらず、このような結果となり、心苦しく思っております。
次回の機会があれば、ぜひお手伝いさせていただければと思います。何卒ご理解いただけますようお願い申し上げます。
何かお手伝いできることがあれば、いつでもお気軽にご連絡ください。
改めて、ご連絡いただき、ありがとうございました。
[あなたの名前]

やんわりと断る

何かを断るときは、断りのメール作成を指示します。「スケジュールが合わないので、今回の仕事は断りたい。次の機会があればぜひ協力したい」などの理由やコメントがあれば、プロンプトに入力しましょう。

どんな仕事にも、ミスやアクシデントはつきもの。大切なのは、そうした問題が起きたときに、迷惑をかけたことをできるだけ早く相手に謝罪し、問題発生の経緯や対応策をきちんと説明することです。

ChatGPTに謝罪メールの下書きを作ってもらえば、**文面に悩む時間を短縮して、問題解決のために時間をより割くことができる**でしょう。きちんと誠意が伝わるような丁寧な文体になるようにプロンプトを用意しましょう。もちろん、最終的には自らチェックして「自分の言葉」で気持ちを伝えるべきです。

+α 英文メールを書いてみよう

「海外の人に**英文でメール**を書かなければいけないのに、英語が苦手でどのように書いたらよいかわからない」。そんな悩みを抱えている人もいるかもしれません。ChatGPTを活用すれば、メールも**日本語から英語に翻訳**できます。作成するプロンプトは日本語のときと同様ですが、「**英語でメールの文面を作成して**」のような指示を加えましょう。

ただし、ChatGPTの出した英文メールの文面を確認せずに使うのは避けましょう。ニュアンスが不自然だったり、不要な文章が入ってしまったりしていることも少なくないからです。念のためChatGPTで英文メールを日本語に再翻訳してもらい、おかしいところがあったら日本語→英語の出力を再度やってみることをおすすめします。

ちなみに、現時点でChatGPTの精度は日本語よりも英語のほうが高いといわれています。精度の高い翻訳ツールとして知られる「DeepL翻訳」や「Google翻訳」などで**プロンプトを英訳したうえでChatGPTに英文メールを作成してもらう**のも、回答の精度を上げるひとつの方法です。

活用術85 ギャラ交渉のメールを作成してほしい

USER

私は①フリーランスのイラストレーターです。
依頼主に提示されたイラスト代が想定よりも安かったので、②値上げ交渉のメールを書いて。③丁寧な言葉遣いにすること。

POINT
①立場を明確にする。
②ギャラ交渉のメール作成を指示する。
③トーンや言葉遣いを指定する。

AI
ChatGPT
件名：イラスト料金の再検討について

[相手の名前]
いつも大変お世話になっております。[あなたの名前]と申します。
先日、ご依頼いただいたイラストについて、提示いただいた料金を検討させていただきました。誠に恐れ入りますが、想定していた金額よりも安く、少々厳しい状況です。
お手数をおかけいたしますが、料金の再検討をお願いできないでしょうか。
私はクオリティと納期には常に最善を尽くすことをお約束いたします。
お互いが納得できる妥当な金額を見つけるため、
率直な意見交換をさせていただければと思います。何卒よろしくお願い申し上げます。

クライアントとのギャラの調整は、特にフリーランスの立場であればなかなか言い出しづらいもの。
　しかし、相手の言い値で安価で請け負ってしまうと、自分自身の技術や能力を安売りしてしまうことになります。**上手な値段交渉をするために、まずはChatGPTに雛形を作ってもらい、**気になるところを微調整するとよいでしょう。

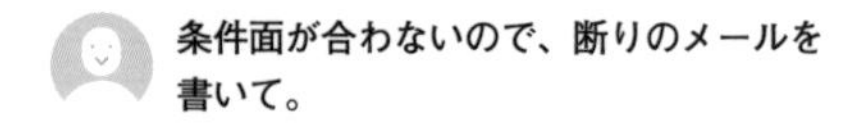

ギャラ交渉メールの作成
プロンプトのバリエーション例

条件面が合わないので、断りのメールを書いて。

ギャラを確認するメールを書いて。

活用術

86 請求書を作ってほしい

USER

クライアントに送る**請求書を作って**①ほしい。
品目は**イラスト代**②で、
価格は**10万円、＋消費税10%**③。

POINT

①請求書の作成を指示する。
②品目を指定する。
③金額を指定する。

AI

ChatGPT

請求書

発行日：2023年8月25日
宛名：[クライアント名]

項目	数量	単価	金額
イラスト代	1	¥100,000	¥100,000
消費税（10%）			¥10,000
合計			¥110,000

ご入金先
銀行名：[銀行名]
支店名：[支店名]
口座番号：[口座番号]
口座名義：[名義]

クライアントに提出する請求書の雛形は、上記のようなプロンプトを入れるだけで、ChatGPTで簡単に作成できます。見積書の雛形も、同様の方法で作成可能です。**規定の項目がある場合はあらかじめ伝える**とよいでしょう。個人情報の入力はせず、雛形として利用するのがおすすめです。

活用術

87 1日のスケジュールを作ってほしい

POINT

①スケジュールの作成を指示する。
②稼働時間を指定する。
③タスクを明示する。

USER

今日1日のスケジュールを作ってほしい。①
稼働時間は10時～18時。②昼休憩あり。
タスク：14時から打ち合わせ、原稿執筆10ページ、調べもの、メール対応③

ChatGPT

了解しました。提案された条件に基づいて今日のスケジュールを組み立ててみました。

10:00-10:15
- 1日の計画の確認と、必要な準備（PCの起動、メモ帳や筆記用具の整理など）。

10:15-10:45
- メール対応：朝のメールチェックと返信。この時間帯に重要なメールがないか確認し、必要に応じて返信を行う。

10:45-12:15
- 原稿執筆：約1時間30分の集中的な執筆時間。10ページを目指すなかで、この時間帯で少なくとも5ページは進めることを目指す。

12:15-13:15
- 昼休憩

13:15-13:45
- メール対応：再度、メールのチェックと返信を行う。午後のスケジュールに影響する内容があれば、優先的に対応。
13:45-14:00
・打ち合わせの準備：関連資料の確認や、打ち合わせのアジェンダの再確認。
14:00-15:00
・打ち合わせ
15:00-16:00
・原稿執筆：再度、約1時間の集中的な執筆時間。残りの5ページを完成させることを目指す。
（中略）
17:30-18:00
・翌日の準備と整理：次の日のタスクのリストアップ、今日の成果の整理、デスクの片付けなど。

複数のタスクを抱えている場合、それらを効率的に解決するためには時間管理が欠かせません。しかし、各タスクにどれだけの時間を割くべきか迷うこともあります。

このプロンプトでは、**現在抱えているタスクと1日の稼働時間を入力する**ことで、各タスクの作業時間の目安を算出した1日のスケジュールを立ててもらえます。

また、「以下のタスクを3時間でこなす場合の時間配分を教えてほしい」など、**合計時間を伝えて時間配分を作成してもらうこともできます。**

スケジュール作成の
プロンプトのバリエーション例

1週間のスケジュールを考えて。

取材前のやることリストを作成して。

+α やることリストを作る

スケジュールを作る前に、大まかな仕事内容を伝えて、「**やることリスト**」を作成してもらい、**どんな作業が必要かを洗い出してもらうこともできます。**

はじめての仕事を請け負う際は、どのような手順で、どれくらいの時間配分で進めればよいのかがわからないものです。そんなときは手探りで始める前に、まずはChatGPTを活用して、やることリストを作ってもらうのも手です。仕事の種類によってやるべき作業は異なりますが、**仕事や業務を指定すればChatGPTで可能な限りのタスクを洗い出してくれます。**それをたたき台として大まかな仕事の流れを理解できるはずです。

また、仕事以外にも、家事など日々の暮らしにおいてもリスト作成は役に立つでしょう。

活用術 88

権利関係の但し書きを作ってほしい

USER

フリーランスのイラストレーター①が
WEBサイトに掲載する②
フリーイラストの権利関係の利用規約を考えて③ほしい。

POINT

①立場を明確にする。
②どこに掲載するのかを明記する。
③利用規約の考案を指示する。

AI

ChatGPT

利用規約：フリーイラストの利用について

1. 定義：この利用規約は、[WEBサイト名]で提供されるフリーイラストに適用されます。
2. 著作権：すべてのイラストの著作権は[あなたの名前/ブランド名]に帰属します。
3. 許可される利用：以下の目的での利用が無償で許可されます。:
   ・個人的または商業的なプロジェクトでの使用
   ・WEBサイト、ブログ、SNSへの掲載
   ・印刷物やプレゼンテーション資料での使用
4. 禁止事項：
   ・イラストの再販
   ・イラストの再配布（たとえ無料でも）
   ・イラストの内容や形を誤解を招くような方法で変更すること
   ・著作権表示や透かしを削除すること
5. 著作権表示：できる限り、イラストを利用した場所に「イラスト提供：[あなたの名前／ブランド名]」という著作権表示を入れることを推奨しますが、必須ではありません。

ホームページを運営する際、利用上のルールを定めたいときは、**利用規約（サイトポリシー）**として掲載するのが一般的です。どんな文面にするか迷ったら、**ChatGPTで利用規約の雛形を作ってもらいましょう**。ただし、一般的な日本の規約の表記と異なって出力されることもあるので、最終的には専門家に確認してもらうとよいでしょう。個人情報の取り扱い方針などを規定した**プライバシーポリシー**などの雛形も同様に、ChatGPTで作成できます。

活用術 89

はじめての取引先とのやりとりで気をつけることを教えてほしい

USER

フリーランスのWEBライター①です。
はじめて取引をするクライアントとのやりとりで、
気をつけること②を箇条書きにして③ほしい。

POINT

①立場を明確にする。
②目的を簡潔に指定する。
③ポイントを列挙するように指示する。

AI

ChatGPT

フリーランスのWEBライターとしてはじめて取引する際に、
クライアントとのやりとりで気をつけるべきことを以下のように箇条書きで挙げます：

1. 要件の明確化：プロジェクトの目的や要件を詳細に確認し、曖昧な点を解消してから作業を開始しましょう。
2. スコープの定義：仕事の範囲を明確にし、プロジェクトが増える可能性がある場合はそれを事前に話し合い、追加料金や納期の調整を行う必要があります。（中略）
9. スケジュールと時間管理：プロジェクトを管理するためにカレンダーやタスク管理ツールを活用し、時間を効果的に使えるように心掛けましょう。
10. 誠実さとプロフェッショナリズム：クライアントとの信頼関係を築くために誠実かつプロフェッショナルな態度を持ちましょう。

これらのポイントを意識してクライアントとの取引を進めることで、
円滑なプロジェクト進行と長期的な顧客関係の構築につながるでしょう。

はじめての取引先との仕事には、どんな職業・職種であっても不安がともなうもの。あとになって「話が違う」とならないように、仕事の進行はもちろん、細かい条件面まで最初にしっかりと把握しておく必要があります。**仕事をしていくうえで注意すべき点はなにか**を、ChatGPTにできる限り具体的に挙げてもらい、新しい取引先とのビジネスに活かしましょう。

Column 5

Slackと連携してコミュニケーションを円滑にする

チャットボットとして利用する

クリエイティブな作業はチームで動くこともあるでしょう。参加しているチームが多くなると、利用する連絡ツールも増え、管理が難しくなってしまうことがあるのではないでしょうか。そんなとき、ChatGPTとビジネス用のチャットツール「Slack」を連携して、コミュニケーションを円滑にしてみましょう。

具体的には、Slack上の任意のチャンネルにChatGPTを入れ、チャットボットとしての利用ができます。機能は基本的にChatGPTと同じで、質問に対する回答を得られます。文章を要約したり、翻訳したりとさまざまな使い方がありますが、何よりチャンネルに入っているメンバーは共通のチャットを閲覧できるため、共有の連絡をする手間が省けます。また、同じアプリ内で連絡しながら、わからないことはChatGPTに聞けるため、パソコン上でのウィンドウの移動なども減るでしょう。

連携方法は？

ChatGPTとSlackの連携方法は、2023年9月現在、SlackAPIを使ってChatGPTを連携する方法と、SlackのAPPディレクトリからアプリをインストールして連携する方法があります。前者はコードを扱うため、コードに慣れていない人にとっては少し複雑で難しいかもしれません。後者は、誰でも行えるので、以下に方法を簡単に説明します。

①Slack の「slack app directory」 で「ChatGPT」を検索します。
②検索結果から追加したいアプリを選択します。ChatGPTとの連携アプリは複数あるため、好きなものを選びましょう。
③「Slackに追加」ボタンをクリックします。
④権限のリクエストページに切り替わったら「許可する」をクリックします。
⑤連携完了です。

ChatGPT公式アプリの利用はこれから

ChatGPTの公式連携アプリ「ChatGPT app for Slack」がありますが、こちらは2023年9月現在、利用申し込みの順番待ちリストに登録する必要があります。ChatGPTの公式アプリを利用したい場合は、リストへの登録を済ませておきましょう。

Chapter 6 その他の意外な活用術

活用術

90 ChatGPTに逆質問をさせたい

POINT

①立場を明確にする。
②考えてほしい内容を指定する。
③質問をするように指示する。

USER

私は雑誌の編集者①です。
働く20～30代女性に向けた新しい企画を考えて②ほしい。
企画の考案に必要な情報について、質問をして③。

AI

ChatGPT

もちろん、喜んでお手伝いいたします！
20～30代の女性向けの新しい雑誌企画について考えてみましょう。
まず最初に、いくつかの基本的な情報を教えていただけると助かります。

1. 雑誌のタイトルは何ですか？
2. この雑誌のコンセプトやテーマは何ですか？
（ファッション、ビューティ、ライフスタイル、キャリアなど）
3. ターゲット読者層の興味や関心について教えてください。
4. ほかの同様の雑誌との差別化ポイントは何ですか？
5. 雑誌の形式や頻度（月刊、季刊など）についてどのような考えがありますか？
6. 予算やリソース（スタッフ、作家、コラボレーション先など）はどれくらいですか？
7. これまでの雑誌で大きな反響や成功を収めた企画やコンテンツはありますか？

これらの情報を提供いただければ、
具体的なアイデアやコンセプトをさらに詳しく考えるのに役立ちます。

Next Step >> もっと活用する！

USER
イラストのモチーフを考えてほしい。より具体的にするために逆質問をして。

ChatGPT
もちろん、より具体的なイラストのモチーフを考えるためにいくつかの質問をさせていただきます。

1. **イラストは季節や特定のイベントをテーマとしていますか？（例：春、ハロウィン、クリスマスなど）**
2. **イラストの目的は何ですか？（例：ポスター、グリーティングカード、Tシャツのデザインなど）**
3. **好きな色や避けたい色はありますか？**
4. **使用するいくつかのキーワードやテーマを教えてもらえますか？**
5. **ターゲットオーディエンスは誰ですか？（例：子ども、大人、特定の趣味や興味を持つ人々など）**
6. **抽象的なデザインや具体的なもの、どちらがお好みですか？**

これらの回答に基づいて、イラストのモチーフを提案させていただきます。

こんな逆質問もできる

ChatGPTにさまざまな逆質問を促してみましょう。プロンプトには、「最高の回答を出すために何か情報が必要な場合は、どんどん質問をしてください」などと入力してもよいでしょう。

プロンプトの内容は、ChatGPTの回答の質を大きく左右します。**情報が不足していると思った通りの回答が返ってきません。**そこでおすすめしたいのが、最近一般に広まりつつある「逆質問」のテクニック。**足りない情報を補うためにChatGPTに質問を出してもらい、その質問に答えながらプロンプトを作成することで精度の高い回答を得ることができます。**

+α ChatGPTの「逆質問」を活用してみよう

「逆質問」は、さまざまなケースで活用することができます。例えば、自分のキャリアに悩んだとき、業務を改善したいときなどに、助言をするために必要な情報は何かをChatGPTに「逆質問」してもらえば、それに答えていくことで問題解決や改善策の道筋が見えてくるはずです。

P.104で紹介した「物語や小説のプロット」を考えてもらう際も、「**プロットを考えてほしい。必要な情報があったら質問して**」のようにプロンプトを入れると、プロットを作るためにどんな情報が必要かをChatGPTがリストアップしてくれます。

ある程度の「素材」があるなら、これまで紹介した通常のプロンプトで問題ありませんが、報告書やニュースリリース、ホームページの作成など、作り慣れていない文面を作成しなければならない場面は多々あります。

ゼロベースで物事を考えたり検討したりする場合は、「逆質問」のテクニックを使ってみてもよいでしょう。

活用術

91 創作料理のアイデアを教えてほしい

USER

あなたは人気料理研究家①です。簡単に作れる料理を考えて②ほしい。
ピーマンと豚肉を入れて分量は1人前、調理時間は30分以内③。

POINT

①役割を設定する。
②レシピの考案を指示する。
③材料や分量、時間を指定する。

AI

ChatGPT

ピーマンと豚肉のオイスターソース炒め

材料：

豚肉（薄切り）：100g、ピーマン：2個（色はお好みで）、玉ねぎ：1/4個、にんにく：1片（みじん切り）、オイスターソース：大さじ2、しょうゆ：大さじ1、酒：大さじ1、サラダ油：大さじ1、ごま油：小さじ1/2、ごま：適量（お好みで）

作り方：

1. ピーマンを洗って種を取り除き、食べやすい大きさに切ります。玉ねぎも薄切りにします。豚肉は一口サイズに切ります。
2. ボウルにオイスターソース、しょうゆ、酒を合わせておきます。
3. 中火にしたフライパンでサラダ油を熱し、にんにくを入れて香りを出します。
4. 豚肉を加えて炒め、色が変わってきたらピーマンと玉ねぎを加え、さらに炒めます。
5. 野菜がしんなりとしたら、ボウルに用意しておいたオイスターソースの調味料を加え、全体を絡めます。最後にごま油を加えてさっと炒め、火を止めます。器に盛りつけて、ごまをふりかければ完成です。

ChatGPTにレシピを考えてもらうこともできます。余っている食材を使い切りたいときや、料理のアイデアを得たいときは、「豚肉」「ピーマン」のように**食材を指定したり**、「さっぱりした料理」のように**料理の方向性を伝えたりしてみましょう**。食材を指定する際は1、2種くらいに限定するのがコツです。

活用術

92 炎上対策をしてほしい

USER

次のSNSの投稿が炎上しないようにチェックして①ほしい。問題点を箇条書きにして、修正案を提示して②。：

③「週末に行った定食屋、店員の愛想は悪いけどボリュームは満点だった。女性ならば「ご飯少なめ」と注文したほうがいいかも！」

POINT

①炎上チェックを指示する。
②問題点の指摘と修正案の指示をする。
③チェックしてほしい文章を明示する。

AI

ChatGPT

SNS投稿の問題点を指摘します：

1. ネガティブな要素が目立つ：「店員の愛想は悪い」というネガティブな評価があります。炎上を避けるためには、他人を批判するような表現は避けるべきです。
2. 性別に関連した発言：「女性ならば『ご飯少なめ』と注文したほうがいいかも！」という発言は、性別に関連したステレオタイプを助長しています。性別を前提とした意見表明は炎上の原因になる可能性があります。すべての人が個別の好みや食欲を持っていることを考慮しましょう。（中略）

修正案：

「週末に行った定食屋、たくさんのおかずがついてボリュームがあって満足しました。ご飯は普通盛りでも十分な量でした。友人と楽しい時間を過ごせました！」

SNSやブログの投稿などに好意的ではないコメントが集中する現象を「炎上」といいます。

刺さる表現にこだわるあまり、**人種やジェンダー、文化、プライバシーなどへの配慮が欠けた投稿をしてしまう**と、瞬く間に拡散されて炎上し、自分自身だけではなく関係者や企業にも悪影響を与えかねません。

SNSの投稿に限らず、作品や記事など、**ものづくりをする過程で表現が心配になるときは、ChatGPTに聞いてみるのもよいでしょう。**もちろんChatGPTの回答が常に正しいとは限りませんので、あくまで参考程度にするのがおすすめです。

活用術93 モチベーションをアップさせてほしい

USER

フリーランス3年目のウェブライター①の仕事に対するモチベーションがアップする方法を考え②てほしい。できるだけ簡潔に③。

POINT

①立場を明確に示す。
②モチベーションアップの方法の考案を指示する。
③トーンや要望を指定する。

ChatGPT

1. 目標設定：具体的な目標を立て、達成できる小さなステップに分解して進めるようにします。
2. 成果を振り返る：過去の成果を振り返り、自分の成長を実感することでモチベーションが高まります。
3. 好きなテーマを選ぶ：自分が興味を持っているテーマや分野を選ぶことで、仕事に対する情熱が湧きます。
4. インスピレーションを得る：優れたウェブライターやほかの分野のクリエイティブな作品を読むことで、新しいアイデアを得ることができます。
5. ワークライフバランス：休息や趣味に時間を割くことで、リフレッシュし仕事に集中できるようになります。
6. チャレンジを受け入れる：新しいスキルを習得したり、異なるジャンルに挑戦することで、刺激を得ることができます。

作業に行き詰まったときは、**モチベーションをアップさせる「アドバイザー役」**としてChatGPTを活用してみましょう。このとき、どんなことへのモチベーションを上げたいのか指定しましょう。

まずは上記のようにポイントをリストアップしてもらい、気になる点についてをさらに掘り下げていってもよいでしょう。やる気をアップする**格言を挙げてもらったり、励ましてもらったりしてもよいでしょう。**

活用術

94 相談役になってほしい

USER

私の親友①として、相談に乗って②ほしい。どんな悩みも親身になって、とにかく共感役に徹して③。：

要領が悪いことが原因で、上司から叱責された。辛すぎてもう仕事をやめたい。

POINT

①役割を設定する。

②相談に乗るよう指示する。

③どんな言葉をかけてほしいかを伝える。

AI

ChatGPT

もちろん、あなたの気持ちを理解しています。
上司からの叱責は本当につらい経験ですね。
要領が悪いことで自信を失う気持ちもわかるけれど、
それは誰にだってあることだから気にしないでください。
あなたは素晴らしい才能を持っているのだから、一度の失敗で自分を責めないでほしい。
新しいことを学び成長する過程には失敗もつきものです。
失敗は成長の一部で、どんなに難しいことでも乗り越えられます。
辛いときは、諦めずにまず自分を労わってみることも大切です。
どんな選択をしても、あなたを応援し続けますよ。

ChatGPTはあなたの話に耳を傾け、親身になって相談に乗ってくれる「相談役」にもなります。素直な気持ちを書けば、特別なプロンプトを用意しなくても具体的な回答をしてくれるはずです。

ChatGPTは提案してくることが多いので、**提案ではなくとにかく話を聞いて励ましてほしい場合は、「応援役」や「聞き役」に徹してもらうように**プロンプトを工夫するといいでしょう。

相談役のプロンプトのバリエーション例

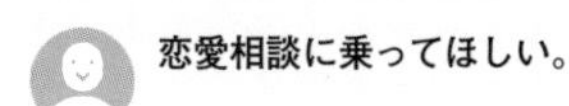

恋愛相談に乗ってほしい。

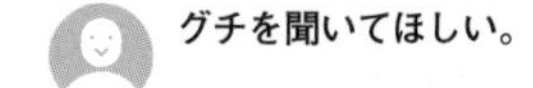

グチを聞いてほしい。

活用術 95 特定の口調で話す ChatGPTになってほしい

USER

このスレッドでは、あなたの一人称は「ウチ」①、あなたの口調は関西弁で、常に話して②ほしい。:

疲れたときのリラックス方法を教えて。

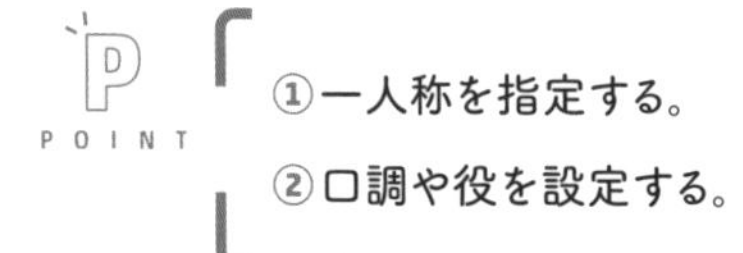

POINT

①一人称を指定する。

②口調や役を設定する。

AI

ChatGPT

わかったで〜! ウチ、関西弁で答えるで!

疲れたときのリラックス方法いろいろあるけどな、ウチがおすすめするのはこんなんやで:

1. まず、深い呼吸をしてみ? お腹を膨らませて息を吸い込み、ゆっくりと息を吐き出すんや。これを数回繰り返すだけで、頭がスッキリすることもあるんよ。
2. お風呂に入るのもええな。温かいお湯にゆっくり浸かると、体も心もリラックスできるで。好きな香りのバスソルトや、エッセンシャルオイルを入れるのもおすすめや。
3. お気に入りの音楽を聴くのもええ。リラックスできる曲や、気分が上がる曲なんかを聴くと、気分転換できるやん?

プロンプトで**口調を常に固定するようオーダー**すれば、同じスレッド内なら、ChatGPTが**特定の口調**や**与えられた役**になりきって会話し続けてくれます。話を続けるうちに口調が変わってしまう場合は、その都度指摘して正してもらいましょう。「カスタム指示(Custom instructions)」機能(P.170)で指定をすれば、全スレッドで常に適用できます。

役割設定のプロンプトのバリエーション例

このスレッドでは、常に私の執事として会話をして。

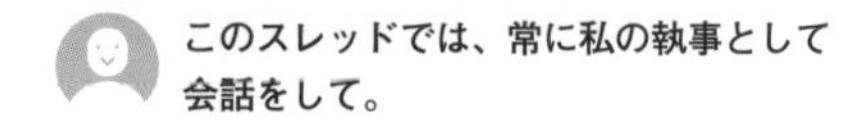

常にツンデレ口調で会話して。

もっと
使いこなしたい人
のための
AI活用サービス
&
ChatGPTプラグイン
ガイド
Translation!
follower
to do
SNS
PR

もっとAIを使いこなしたい人のための

AI活用サービスガイド

Service Guide

ChatGPT以外にも、便利なAI活用サービスはまだまだたくさんあります。画像生成やライティング支援、スケジューリングなど、その機能はさまざまです。ChatGPTと同じように、自然言語処理能力をもつチャットツールもあります。ここでは、AI活用サービスに興味がある人のために、いくつかのサービスをピックアップし、その魅力を紹介していきます。

画像生成

» オンラインで作成できる無料のデザインツール

Canva

[提供会社] Canva Pty Ltd

[URL] https://www.canva.com/ja_jp/

// POINT //

- ☑ オンラインでデザイン編集や画像生成ができる。
- ☑ 豊富なテンプレートや素材を使って簡単にデザインができる。
- ☑ 作成したデザインは商用利用可能。

オンラインで作成・編集ができる無料のデザインツール。SNSへの投稿画像、プレゼン資料、ポスターなどあらゆるデザインを行うことができます。豊富なテンプレートが用意されており、対応言語は100以上、1億点を超える素材や400種類以上の日本語フォントを利用でき、作成したデザインは商用利用可能です。AIを活用して、画像生成や写真加工も簡単に行うことができます。

画像生成

>> Adobeが提供する画像生成AI

Adobe Firefly

［提供会社］ Adobe

［ URL ］ https://www.adobe.com/jp/sensei/generative-ai/firefly.html

// POINT //

- ☑テキストで指示して画像生成できる。
- ☑既存の画像の一部を生成AIで変更できる。
- ☑PhotoshopなどのAdobeのソフトウェアとも連携。

Adobeが提供している、画像生成サービスです。Adobe FireflyのWEBサイト上で、テキストから画像を生成したり、編集したりすることができます。編集したい画像をアップロードし、自由に選択した部分だけを変える「生成塗りつぶし」機能もあります。生成点数に限りがありますが、無料でも使え、生成した画像は商用利用可能です。同じくAdobeのPhotoshopにもAdobe Fireflyの機能が搭載され、画像生成で描き足すことができる「生成拡張」機能が話題を呼んでいます。

画像生成

>> 画像生成AIの代表格！

Stable Diffusion

［提供会社］ Stability AI

［ URL ］ https://ja.stability.ai/stable-diffusion

// POINT //

- ☑テキストで指示して画像生成できる。
- ☑オープンソースの画像生成ツール。
- ☑生成した画像は基本的に商用利用が可能。

テキストでイメージを指示すると、それに沿った画像を生成してくれる画像生成AIのひとつです。WEB上で利用したい場合、「Stable Diffusion Online」「DreamStudio」「Mage.space」などのサービスでStable Diffusionを利用することができます。対応言語は現在は英語のみなので、ChatGPTなどのチャットツールや翻訳サービスを利用してプロンプトを作成するとよいでしょう（P.92）。

画像生成

>> 生成した画像の権利審査もしてくれる!

Shutterstock

[提供会社] Shutterstock

[URL] https://www.shutterstock.com/ja/

// POINT //

☑テキストで指示して画像生成できる。

☑生成した画像が権利的に問題がないか、審査をしてくれる。

☑安心して商用利用できる。

Shutterstockとは画像や動画、音楽などのあらゆる素材を提供するサービスですが、2022年10月にOpenAIとの提携を発表し、AIによる画像生成サービスが実装されました。イメージをテキスト入力するだけで、画像生成ができます。生成した画像は安心して商用利用できるよう、ライセンスの取得ができます。また、生成した画像はコレクションやカートに追加すると第三者の商標権、著作権、肖像権などの問題がないかを審査してくれます。

画像生成

>> リアルでハイクオリティな画像生成ができる

Midjourney

[提供会社] Midjourney

[URL] https://www.midjourney.com/home/

// POINT //

☑テキストで指示して画像生成できる。

☑リアル画像やアニメ風などの画像を生成できる。

☑高画質な画像を生成できる。

画像生成AIのひとつ。「Discord」というチャットツールを利用してテキスト入力するだけで、画像を生成することができます。そのため、DiscordとMidjourneyの両方の登録が必要です。高画質な画像を生成できますが、現在は有料版のみの利用に制限されており、月額10ドルから登録可能となっています。プロンプトは複数の英単語と画像比率（--ar ○:○）のように指定すればOKです。

商品写真

>> プロのような商品写真を一瞬で作成

フォトグラファーAI

[提供会社] Fotographer AI
[URL] https://fotographer.ai/

// POINT //

- ☑ 簡単に、プロのような商品写真を作成できる。
- ☑ SNS等での商品バナーを高いクオリティで量産できる。
- ☑ 商品写真のコストを下げられる。

写真をアップロードするだけで、簡単にEC・マーケティングに使う商品写真が作れる画像生成AI。背景などのイメージをテキストで入力するだけで、プロのフォトグラファーが撮影したような写真を誰でも簡単に作れます。化粧品やアパレル製品、食品などさまざまなものを対象とした商品写真の制作が可能なので、ECサイトやコンテンツ制作のコスト削減にもつながるでしょう。

商品写真

>> イメージ通りの商品写真を制作できる

Flair AI

[提供会社] Flair
[URL] https://flair.ai

// POINT //

- ☑ 簡単にプロのような商品画像を作成できる。
- ☑ 人物にアパレル製品を合成した着用画像も作れる。
- ☑ 照明やカメラの角度調整もできる。

自分で用意した画像を、イメージするデザインに仕上げることができるサービスです。例えば、商品の切り抜き画像を読み込ませ、周りに配置する小物類、人物、イメージに近い画像を選択することで、商品の背景を自動生成してくれます。ECサイトに掲載する商品画像を制作する際にとても便利なサービスです。無料版では月100デザインまで、月額10ドルのプロフェッショナルバージョンは無制限でデザインが可能です。

動画編集

>> 手軽にオンラインで動画編集ができる

invideo AI

[提供会社] InVideo

[URL] https://invideo.io/s/alamin

// POINT //

☑オンラインで動画編集ができる。

☑5000以上のテンプレートから選択して簡単に編集できる。

☑アイデアだけでAIが動画を生成。

テキストでイメージを指示すると、AIが動画を生成し、オンラインで動画編集ができるサービスです。5000を超える豊富なテンプレートのなかから好きなものを選択し、自由に編集することができるため、動画編集の初心者でもクオリティの高い動画を作ることができます。また、複数人でデータを共有しながらの編集も可能です。無料で利用できますが、有料プランでは編集できる動画の本数が増えるなど活用の幅が広がります。

文字起こし

>> 文字起こしにかかる時間を短縮!

Notta

[提供会社] Notta

[URL] https://www.notta.ai

// POINT //

☑1時間の音声ファイルを5分でテキストにできる。

☑文字起こしの内容を要約してくれる。

☑リアルタイム文字起こしも可能。

文字起こしができるサービスです。録音した音声ファイルだけでなく、リアルタイムでの文字起こしや録画も可能なため、会議や打ち合わせなどで気軽に利用することができます。普通に文字起こしを行うよりも作業効率が上がるでしょう。また、要約機能もあり、文字起こしの内容からテキストを自動で要約してもらうことも可能です。ただし、文脈に沿った文字の変換は不十分な点があります。テキストを読みながら音声を聞き直し、自分で修正を加えていくとよいでしょう。

音声編集

>> AIによる音声編集でノイズを除去!

Enhance Speech

[提供会社] Adobe
[URL] https://podcast.adobe.com/enhance

// POINT //

☑ AIが音声ファイルを解析し、環境音などのノイズを除去できる。
☑ プロが録音したような音質にできる。
☑ 取材音声が聞き取りやすくなる。

Adobeが提供している音声編集WEBサービス「Adobe Podcast」のなかの機能のひとつとして公開された音声編集サービスです。音声ファイルをアップロードすると、AIによって音質を改善してくれます。具体的には、音声のノイズを除去して鮮明な音声ファイルにしてくれるというもの。録音環境が悪く、聞き取りにくい音声ファイルに対して利用するとよいでしょう。

翻訳

>> 漫画のセリフを自動で翻訳!

Mantra Engine

[提供会社] Mantra
[URL] https://mantra.co.jp

// POINT //

☑ 吹き出し内のセリフを自動で多言語へ翻訳してくれる。
☑ 翻訳後、フォントやセリフの修正が可能。
☑ ハイスピードで世界へ発信できる。

日本の漫画に特化したAI自動翻訳サービスです。漫画のページ画像や作品データを読み込ませると、吹き出しやセリフを自動で検出、多言語へ翻訳してくれます。また、翻訳テキストやフォントの種類、文字サイズ、色などの編集も行えます。作業後は好きなデータ形式で書き出しができ、利便性の高いサービスです。主に出版社などを中心とした法人向けサービスですが、「pixivFANBOX」では個人クリエイター向けにもサービスを提供しています。

チャット

>> LINEでChatGPTが使える!

AIチャットくん

[提供会社] picon
[URL] https://picon-inc.com/ai-chat

// POINT //

- ☑LINEでChatGPTが利用できる。
- ☑LINEの友だち登録をすれば、ChatGPTのアカウント登録はしなくてよい。
- ☑出力が早い。

LINEに友だち追加をするだけで、ChatGPTが使えるサービスです。ChatGPTを利用する際に必要なアカウント登録は必要なく、より気軽にチャットサービスを利用できるようになります。ターボ版が実装されているため、ChatGPTの公式サイトや公式アプリよりもスピーディーに回答をもらえます。無料版ではチャットの回数に制限がありますが、月額980円の有料版では無制限で利用できるようになります。

チャット

>> 誰でも簡単に自分で対話できるAIを作れる

miibo

[提供会社] miibo
[URL] https://miibo.jp

// POINT //

- ☑独自のQ&Aチャットボットを作成できる。
- ☑AIで会話のシミュレーション（面接やインタビュー）を作成できる。
- ☑自分でAI VTuberを作成できる。

チャットボットのような会話ができる高性能なAIを、自分で簡単かつスピーディーに構築できるノーコードAIツールです。プログラミングは必要なく、公開されているAPIをアプリやWEBサービスに取り込むことで、インターネット環境があればどこでもチャットボットを利用することができます。また、他人とチャット画面を共有し、ブラウザ上での会話も可能です。

チャット型検索エンジン

≫ 会話しながらインターネット検索をしてくれる

Perplexity AI

［提供会社］ Perplexity AI
［ URL ］ https://www.perplexity.ai

// POINT //

- ☑インターネット上で検索しながら対話ができる。
- ☑情報の信憑性をすぐに確認できる。
- ☑関連するプロンプトを選択できる。

チャットボットのように会話をしつつ、インターネット上の情報を検索してくれるチャット型検索エンジンです。プロンプトを入力すると、「情報源」のサイトと「答え」に加え、「関連している」プロンプトや疑問を提示してくれます。答えの信憑性を確かめながら、次の会話に発展させられる点が特徴です。また、アカウントは不要なので、登録せずに無料で基本的な操作が可能。そのため、誰でもすぐに利用できるのもメリットです。

文章作成

≫ 用途に応じて選べる生成ツールが100種類！

Catchy

［提供会社］ デジタルレシピ
［ URL ］ https://lp.ai-copywriter.jp

// POINT //

- ☑ライティングのアシスタントをしてくれる。
- ☑GPT-3が実装されている。
- ☑ライティングにおけるブレストができる。

文章の作成をアシスタントしてくれる文章生成AIです。テキスト入力によってさまざまな原稿の作成やリライト、画像生成のプロンプトなどの文章を作成することができます。OpenAIのGPT-3が実装されており、100種類以上の生成ツールを利用して、イメージに近い文章を生成できるのです。例えば、キャッチコピーや記事、資料の作成から、悩み相談やLINEの返信にいたるまで、言葉や文章に関するアイデアなら何でも生成してくれます。

文章作成

》SNSでバズるコピーを作ろう!

BuzzTai

[提供会社] BAZZTAI CO.
[URL] https://www.buzztai.com

// POINT //

- ☑"バズる"キャッチコピーや文章を生成してくれる。
- ☑SNSが不得意でも簡単にSNSマーケティングができる。
- ☑文章は好きなファイル形式でダウンロードできる。

文章生成AIのひとつです。主にSNSやインターネット記事などの文章を得意としており、その名の通り「バズりたい」ときやSNSマーケティングに有効なツールとなっています。そのほかにも広告文や企画書などの文章も作成してくれます。生成した文章などは、PDFやプレーンテキストなど好きなファイル形式でダウンロードすることが可能です。

文章作成

》声で指示するAIライティングアシスタント

Xaris(カリス)

[提供会社] スタジオユリグラフ
[URL] https://site.xaris.ai

// POINT //

- ☑話すだけで記事や商品説明の文章を生成できる。
- ☑SEOに強い記事を作れる。
- ☑文書をGoogleドキュメントやPDFで出力できる。

主にライティングアシスタントをしてくれる文章生成AIのひとつです。自分が書きたい内容を整理したり、執筆するための資料を代わりに検索したり、アンケートなどのデータを記事に直したりといった、執筆に必要となる細かな作業をサポートしてくれます。また、音声入力機能もあることから、口頭で情報を伝えるだけで文章の草稿を作成することができるのです。

文章作成

>> 記事作成に特化した文章生成AI

ラクリン

[提供会社] makuri・アルル制作所・ジジックス

[URL] https://rakurin.net

// POINT //

- ☑ 記事に必要な要素を生成できる。
- ☑ 文章のリライトが可能。
- ☑ 無料でも利用可能。

記事作成に特化した文章生成AIです。タイトル、サブタイトル、リード文、見出し、本文、まとめ文などと、記事に必要な要素をそれぞれ提案してくれる機能を搭載しており、主にブログやインターネット記事の作成に使えます。またQ&A方式での文章作成やリライトも可能です。無料プランでは毎月2万トークンが付与され、約1記事の制作をすることができます。有料プランは月額4980円～2万9980円までのプランがあり、金額に応じて付与されるトークンが増えます。

文章作成

>> WEB記事の気になるところにメモ書きを残せる

Glasp

[提供会社] Glasp Inc.

[URL] https://glasp.co

// POINT //

- ☑ 気になるWEBページにハイライトやメモ書きを保存できる。
- ☑ YouTube動画の文字起こし、Kindle、PDFにもメモを残せる。
- ☑ ChatGPTを利用したYouTube動画の要約ができる。

chromeの拡張機能のひとつで、WEBページなどへのハイライトやメモを保存できるサービスです。さまざまな機能があり、YouTube動画の内容を文字起こししたものやKindle、PDFなどの気になる部分にメモを残したり、ユーザー同士で共有したりすることもできます。さらにメモを引用してX（Twitter）に投稿したり、ブログニュースレターへ埋め込んだりすることも可能です。ChatGPTを使った動画のスピーディーな要約もできます。

SEO対策

》高精度SEO対策が期待できる!

AI SEOディレクターby GMO

[提供会社] GMOソリューションパートナー
[　URL　] https://gmo-sol.jp/doc/a1/

// POINT //

☑ 優先度の高いSEO対策をリストアップしてくれる。
☑ SEOコンサルタントのノウハウを享受できる。
☑ 難しい専門用語は解説つきで教えてくれる。

AIによるSEO診断ツールです。SEO対策のキーワードとURLを入力すると上位ページとの差を分析し、検索エンジンにおいて上位表示に必要なSEO対策をリストアップしてくれます。SEO対策に必要なタスクは優先順位をつけて3つに絞ってくれるため、何から手をつければよいのかがすぐにわかります。SEOコンサルタントが蓄積してきたノウハウをベースにした予測分析機能をもとにしていることから、高精度のSEO対策が可能です。

スケジューリング

》スケジューリングが自動で完了

Reclaim

[提供会社] Reclaim.ai
[　URL　] https://reclaim.ai

// POINT //

☑ 確保したい時間を設定して自動的にスケジューリングしてくれる。
☑ Googleカレンダーなどと連携していてわかりやすい。
☑ 習慣的な予定もスケジュール可能。

Googleカレンダーと連携すると、自動でタイムブロッキングを行ってくれるサービスです。例えば「執筆時間をいつまでに2時間」と登録すると、予定や移動時間、プライベートな時間を考慮しつつ、執筆作業の時間を2時間確保してくれます。タスクのほかにも習慣を登録することができ、頻度、時間、優先順位を設定するとジムでの運動時間や勉強時間などを確保してくれます。スケジュール管理に時間を取られたくない、苦手という人におすすめです。

スライド資料

>> テキスト入力で、AIがスライド資料を自動生成

イルシル

[提供会社] ルビス
[URL] https://elucile.lubis.co.jp

// POINT //
- ☑ 資料作成が苦手でも簡単に資料を作成できる。
- ☑ 文字だらけでわかりにくい資料に、図を入れてわかりやすくしてくれる。
- ☑ 資料作成にかかる時間を短縮できる。

テキスト入力のみでスライドが作成できるAIツールです。750種類以上の日本語に特化したテンプレートを選択し、そのほかの素材やパーツ機能で楽に編集できます。入力したテキストから複数のキーワードを膨らませ、または長文を要約しながらスライドを作成してくれます。文章を入力するだけなので作成時間は最大1/3に。デザインが苦手でも誰でも、わかりやすい資料作成が可能です。

そのほか

>> 「使いたいAI機能」を「使った分だけ」支払い

CalqWorks

[提供会社] Kanda Quantum
[URL] https://calqworks.studio.site/top

// POINT //
- ☑ セキュリティが担保された自社ChatGPTを簡単に利用できる。
- ☑ いろいろな機能のなかから選んだAIツールをチームやメンバーに展開できる。
- ☑ 文章生成だけでなく、スライドやプログラムなどのアウトプットを行うことができる。

あらゆる機能が搭載されたビジネス用のAIツールです。リアルタイム議事録生成やメール生成、プレス記事作成など便利なAIツールが用意されており、「使いたい機能を使った分だけ」請求されるシステムになっています。セキュリティも担保されていることから、安心してビジネス利用できるでしょう。個人向けと法人向けのプランが用意されているため、営業形態に合わせて利用してみてください。

もっとChatGPTを使いこなしたい人のための

ChatGPTプラグインガイド

Plugin Guide

ChatGPTがより一層便利になる拡張機能のプラグイン。本文でもいくつか紹介してきましたが、日々更新されており、その数はなんと900種類以上にも上ります（2023年9月現在）。「種類が多すぎて、どれを使えばよいのかわからない」という人のために、ここではクリエイターにぴったりなプラグインをピックアップしました。有料版ChatGPTユーザーは、ぜひチェックしてみてください（プラグインの導入方法はP.26参照）。

プラグイン名	プラグインの機能
ABC Music Notation	ABC 記譜法で入力したものをWAV、MIDI、PostScriptファイルとして出力
AI Agents	ひとつの目標を設定するとそれに向けたタスクが自動で設定され、生産性が向上する
Argil AI	ChatGPT 内で画像を生成
Bardeen	X（旧Twitter）のトレンドトピックを見つけてくれる
CapCut	動画の制作・編集を行う
ChatWithPDF	PDF 文書を分析して要約・質問ができる
Color Palette	イメージや用途をもとにそれに合わせたカラーパレットを作成してくれる
Copywriter	広告文の作成やWEBサイトの改善点の提案
Decision Journal	意思決定の記録や結果のレビュー
Expedia	旅行プランやアクティビティ、フライトなど旅行に関する提案
GameBase	ユーザーが指定した条件に応じてゲームの情報や関連動画を検索

HeyGen	テキストを入力するとアバターがしゃべる動画を生成
MixerBox ImageGen	テキストを入力すると画像を生成してくれる
NewsPilot	リアルタイムのニュース記事をさまざまな国や言語から取得
Now	最新のトレンドの把握に役立つ
Photorealistic	画像生成AI用のプロンプトの提案
PluginFinder	ChatGPTのプラグインのなかから自分のニーズに合ったものを探すことができる
Prompt Perfect	ChatGPTへの要求をより具体的な形に改善・再構成してくれる
sakenowa	日本酒に関するさまざまな情報を提供してくれる
SceneXplain	画像を読み込ませると、その特徴などについて言語化してくれる
SEO CORE AI	WEBページやキーワードに関するSEOとコンテンツの分析をしてくれる
Diagrams:Show Me	特定の概念やプロセスをグラフや図で視覚化できる
Speak	翻訳やフレーズの説明をしてくれて言語学習に役立つ
Speechki	テキストを音声変換
Tabelog	提示した条件をもとにレストランの検索や予約を助けてくれる
There's An AI For It	最適なAIツールやサービスを紹介してくれる
VideoInsights.io	動画を分析し、内容を文章で説明してくれる
Visla	テキストから簡単に動画を制作
VoiceOver	テキストを音声変換
WebPilot	WEBサイトから最新情報を取得、WEBページの要約、指定したURL先の情報から質問に回答
Wolfram	ChatGPTが苦手な複雑な計算や科学的な情報の取得が可能

クリエイターのための
ChatGPT活用大全
創作の幅が一気に広がる!

STAFF

監修
國本知里

執筆・編集・DTP
株式会社ループスプロダクション

編集協力
黒川悠輔　高木直子　岩佐陸生
伊東道郎　深見アリカ

装幀
新井大輔　八木麻祐子（装幀新井）

イラスト
オリハラケイコ

企画編集
八巻明日香